COLLECTION THÉMATIQUE

dirigée par Georges Décote

LA RÉVOLTE

par

Pierre MIQUEL

Maître de Conférences
à l'Université de Lyon

BORDAS

Paris - Bruxelles - Montréal

SOMMAIRE

PRÉFACE

CHAPITRE I. L'ÉVOLUTION DU THÈME

CHAPITRE II. DU MOYEN AGE AUX TEMPS MODERNES

CHAPITRE III. LE XVIIe SIÈCLE

© BORDAS 1971, n° 0255 740 505 - Printed in France
ISBN 2-04-004031-5

CHAPITRE IV. LE XVIIIᵉ SIÈCLE

CHAPITRE V. LE XIXᵉ SIÈCLE

PRÉFACE

A la différence de la plupart des ouvrages de littérature à vocation scolaire ou universitaire, axés pour l'essentiel sur l'étude d'un siècle, d'un auteur ou d'une École, la présente collection se propose de partir d'un thème aux résonances actuelles et d'analyser la manière dont il fut perçu tout au long de l'histoire littéraire. Chaque volume se présente d'abord comme un recueil des textes les plus représentatifs du sujet traité — qu'il s'agisse d'étudier par exemple le thème du héros, celui de l'enfance ou celui du suicide, pour ne mentionner que ceux-là. Ces extraits sont pour la plupart choisis dans la littérature française mais certains des passages les plus significatifs de telle ou telle œuvre étrangère peuvent également figurer en traduction.

La présentation thématique nous paraît offrir une approche méthodologique nouvelle de la littérature : plus variée, plus suggestive, plus propre à éveiller davantage l'intérêt du lecteur. Il ne s'agit plus en effet d'une prospection nettement délimitée dans le temps, mais d'une coupe horizontale courant le plus souvent du Moyen Age à nos jours et permettant de mieux saisir la physionomie d'une époque à travers le point de vue qu'elle peut avoir sur tel problème déterminé. Il ne s'agit plus de revenir sans cesse à quelques grands textes étudiés uniquement pour eux-mêmes, mais d'examiner par exemple quelle conception l'on se fit du bonheur ou du progrès au cours des siècles. Il ne s'agit plus exclusivement de littérature française, mais de littérature comparée et d'histoire des idées, parfois même de sociologie ou d'économie, lorsque s'y prête le thème choisi.

Un tel élargissement de perspective est particulièrement fructueux — ne serait-ce qu'à titre de complément des programmes traditionnels — au niveau des Premières et des Terminales des lycées, des classes préparatoires aux Grandes Écoles et du premier cycle des Facultés des Lettres ou de certains Instituts. Et cela d'autant plus que le point de vue adopté est toujours délibérément moderne. On a trop souvent reproché aux classes de Lettres d'être coupées de la vie et des problèmes *contemporains pour que l'on ne saisisse point ici l'occasion d'exercer la réflexion des étudiants sur des notions aussi actuelles que celles de l'argent, du rêve ou de la révolte, pour n'en citer que quelques-unes. N'est-ce point là une manière d'aborder l'histoire littéraire sous un jour nouveau, de redécouvrir littéralement certains ouvrages ou certains auteurs dont une fréquentation routinière masque parfois l'actualité?*

L'analyse thématique, outre qu'elle entraîne souvent un intérêt spontané, se prête bien à l'individualisation du travail par la variété des exercices qu'elle suscite :

— recherche de textes complémentaires portant sur le thème étudié.

— comparaison entre des extraits d'époques et d'auteurs différents.

— lecture de telle ou telle œuvre d'où sont tirés les passages cités, suivie d'un compte-rendu et d'un débat.

— commentaire de textes.

— exposés et discussions portant sur un ouvrage critique consacré au thème choisi.

— essais libres dans le cadre du sujet traité.

On en arrive ainsi à une étude « sur mesure », variable selon le niveau du groupe ou des éléments qui le composent, et permettant d'exercer l'esprit critique de chacun. C'est donc au professeur que revient la responsabilité fondamentale : celle d'élaborer pour chaque type de classe, à partir de ces documents de travail que constituent les textes proposés, un programme de réflexion et d'exercices adapté à un public dont il connaît mieux que personne les forces et les faiblesses.

La rénovation des méthodes pédagogiques est aujourd'hui plus que jamais à l'ordre du jour dans tous les domaines d'enseignement. Elle nous paraît tout particulièrement nécessaire en ce qui concerne la littérature si l'on ne veut point que ce terme devienne pour certains synonyme de bavardage ou d'ennui. Cette collection ne se propose pas d'autre but que d'apporter une modeste contribution à cette tâche.

Le Directeur de la Collection.

● CHAPITRE I

L'ÉVOLUTION DU THÈME

● Révolte, émeute, révolution

Tous les verbes français traduisant l'idée de révolte sont pronominaux : on se rebelle, on s'insurge, on se révolte. Le pronom est aussi indispensable au verbe décrivant l'action que l'individu peut l'être au contenu de l'idée de révolte.

Encore faut-il distinguer révolte et révolution. La révolution est une action collective, elle implique la participation des masses d'une population donnée. La révolte est d'abord individuelle, même si elle prend, le cas échéant, des formes collectives. La révolution court sur un cycle long, même si elle ne comporte parfois que de brèves journées d'action : c'est qu'elle se donne généralement pour but de changer radicalement l'ordre politique, parfois l'ordre social et économique. Cela ne peut se faire en un jour. La révolte au contraire peut durer quelques heures, et n'avoir pas de lendemain. Elle est un mouvement souvent spontané, presque instantané, la conjonction brutale, violente, d'un nombre variable d'hommes en colère. La révolution est une entreprise objective, elle affiche ses buts et son idéal. La révolte est la plupart du temps à la recherche d'un idéal. Elle invente ses justifications à mesure qu'elle se développe. Elle part d'une protestation violente. Elle ne sait pas où elle aboutit. La révolution demande un appareil déterminé, une tactique, un processus de prise du pouvoir et d'exercice du pouvoir provisoire qui vient d'être conquis. La révolte n'a pas besoin de cet attirail historique pour exister. Elle peut se limiter à un petit groupe, et même à un individu. Elle peut être une révolte intérieure.

Elle relève alors directement de la littérature, dans la mesure où elle est exprimée. Elle prend des formes diverses, selon qu'elle exprime la révolte philosophique de l'homme contre le « système de l'univers » ou la colère de l'individu contre une société qu'il refuse. Elle trouve alors des accents satiriques, sarcastiques, des violences ironiques ou des éclats épiques. Elle peut trouver dans la description de l'absurde, de l'injuste, du scandaleux, autant de justifications littéraires. Elle devient un genre.

Révolution et révolte ne sont évidemment pas sans liens : la révolution est faite, projetée, annoncée, par un certain nombre de révoltes individuelles, qui sont dans certains cas des révoltes intérieures. La Bruyère, quand il s'indigne de la misère des paysans du « grand siècle », ne songe certes pas à une révolution qu'il ne peut même pas imaginer. Mais sa révolte est un germe pour l'avenir. Elle rejoint, cent ans plus tard, celle des Encyclopédistes, des militants intellectuels de la grande révolution. Elle précède l'événement que, dans une certaine mesure, elle explique.

C'est la révolution qui donne un sens et un avenir aux révoltes, qui sont des actes sans lendemains. Elle ne saurait se passer de la révolte, qui met brutalement en question l'ordre établi. Inversement la révolte sans révolution reste un acte isolé, une protestation vaine, incapable de s'accomplir, de se réaliser.

Aveugle et soudaine, la révolte n'est toutefois pas assimilable à la brusque flambée de fièvre de l'émeute. Elle dépasse l'événement. L'émeute, le mouvement de rue spontané, la jacquerie paysanne, ne sont des révoltes que dans la mesure où elles contestent un ordre. Elles restent limitées aux pavés que l'histoire oublie, si elles retombent aussitôt nées, sans but, sans idée, sans ordre, autres que de donner satisfaction au prurit populaire du moment. On se révolte contre l'intendance et les impôts, mais non pas contre tel ou tel intendant. Trop limitée, dépourvue d'idée et de force critique, la révolte se réduit à l'émeute. Elle perd sa signification.

Pour être, au sens plein, une révolte, elle doit avoir pour but de mettre en question un ordre institutionnel ou social;

si la révolte, à l'encontre de la révolution, ne sait pas où elle veut aller, elle sait fort bien ce qu'elle refuse. Elle a une idée généralement précise des forces d'oppression qu'elle affronte. La foule, en période de disette, pend un boulanger, et met sa boutique à sac : c'est une émeute. Elle brûle en effigie le portrait de l'intendant rendu responsable de la disette : c'est une révolte. Elle s'empare de l'intendance et décrète le maximum des grains : c'est une révolution.

● La révolte des intellectuels

Violente et brève, mais non dépourvue d'idées, la révolte populaire est un des éléments fondamentaux de la révolution. Celle-ci a une autre source, qui vient parfois de loin : la révolte des idées, celle des intellectuels. Le véhicule privilégié de cette forme de révolte est la littérature.

Elle est d'abord, et très longtemps, individuelle.

En effet, jusqu'à la seconde moitié du XIXᵉ siècle, la révolte s'insère constamment dans la thématique morale et chrétienne : l'écrivain, à titre individuel, se révolte contre les mœurs de son siècle, contre la société jugée décadente, sans foi ou sans amour. Le révolté ne trouve généralement refuge que dans un isolement hautain, ou dans un scepticisme amer. Telle est l'attitude des satiriques du XVIᵉ siècle, des moralistes du XVIIᵉ : La Bruyère, La Rochefoucauld sont généralement calmes et sceptiques. Il leur arrive de s'indigner et de se révolter contre des abus particulièrement criants de la société de leur temps.

Parallèlement, toujours dans le domaine de la révolte individuelle, on trouve une révolte exprimée par les poètes contre l'ordre, la brutalité, en un mot l'autorité de l'État monarchique et de la structure sociale. Cette attitude, qui anticipe largement sur la littérature maudite du XIXᵉ siècle, est celle d'un poète comme Villon, et, à certains égards, de Clément Marot. Trop de misère et trop d'injustice inspirent au poète le thème de la danse macabre, familier au public des XVᵉ et XVIᵉ siècles, des gibets, des tombeaux, des charniers et de tous les aspects monstrueux, fantastiques et morbides de la vie sociale. La révolte passe aussitôt sur un plan mystique, que l'on aperçoit dans *Le Testament de Villon*, et qui n'est pas loin du fantastique d'un Jérôme Bosch. Le travestissement de l'humanité en visages et en animaux monstrueux est l'indice

Panneau central d'un triptyque de
Jérôme Bosch (Musée national de Lisbonne).

d'une révolte intérieure qui a besoin de nier la réalité pour la dépasser.

Une autre révolte individuelle marque de son empreinte les XVIe et XVIIe siècles : c'est celle de la libre pensée contre l'intolérance, de l'esprit scientifique et critique contre le dogmatisme catholique. A cet égard, la littérature de la Réforme est tout entière une littérature de la révolte. Luther s'indigne contre les indulgences, Calvin contre les vices du siècle et contre le pharisaïsme. Antérieurement, Érasme s'élève contre le dogmatisme des Pères de l'Église et son *Éloge de la folie* devient la Bible de la libre pensée. Les libelles et les écrits des « libertins » sont autant de témoignages de révoltes contre un siècle de conformisme. On retrouve dans Rabelais et Montaigne certains accents de la *Correspondance* de Galilée, et la liberté de ton et de pensée d'un Léonard de Vinci. La révolte, à ce stade, dépasse l'attitude individuelle. Humanistes, Libertins et Réformés ont plus ou moins conscience de s'inscrire dans un mouvement général de progrès de l'esprit humain, et de mener ensemble un combat. La révolte n'est pas une manière de se mettre à part, de se retirer du monde : elle rejoint le puissant mouvement de la science et de la religion ; elle s'inscrit dans le profil de l'histoire.

Mais aussi dans le combat du siècle : les guerres de religion avaient, avec Luther et Calvin, leur littérature sacrée. Elles eurent, avec Agrippa d'Aubigné, leur poème épique. *Les Tragiques* sont la première épopée de la révolte. Mêlant l'invective biblique aux réminiscences gréco-romaines, elles étaient l'expression unique de la révolte d'un poète combattant.

Sans doute ce lyrisme de la révolte s'exprime-t-il plus volontiers au XVIe siècle. Le siècle suivant fut celui du conformisme et de l'ordre moral, philosophique, religieux. Louis XIV régnait sur les lettres, la pensée, les arts. La révolte philosophique de Descartes ne le touchait pas : elle allait dans le sens de Colbert, de Louvois, de l'État moderne. Louis XIV aussi devait faire *table rase* des institutions et des coutumes du Moyen Age pour construire son royaume, et si Descartes rasait la métaphysique, le grand roi rasait de même les places fortes des princes protestants et les châteaux des privilégiés. *Faire table rase*, cela voulait dire faire régner le roi partout. Les philosophes ne pouvaient que s'en louer.

La révolte ne pouvait être qu'individuelle et morale. Molière s'indignait, non contre le roi et l'État, mais contre les mœurs, la cabale, les Tartuffe. Le roi aussi devait haïr la cabale. Il devait protéger Molière et l'empêcher de se retirer au désert. Pas plus que *Les Méditations* de Descartes, *Le Misanthrope* n'impliquait une révolte contre l'ordre de Versailles. Ces œuvres contribuaient au contraire à tailler, dans la grande forêt féodale, les allées claires et géométriques des parcs « à la française ». La révolte individuelle s'emportait contre le clergé, les privilégiés, les financiers prévaricateurs, les grands seigneurs méchants-hommes, et militait pour l'ordre du roi, qui était justice et raison.

Il y eut cependant, au grand siècle, quelques témoignages de révolte politique et sociale, suffisamment éclatants pour que cette forme de contestation eût un certain écho... D'abord la littérature de la révolte historique, celle de la *Fronde* et des grands seigneurs : elle trouva, au grand siècle, deux représentants parfaitement qualifiés : le cardinal de Retz et le duc de Saint-Simon. Si le cardinal exprime, dans ses *Mémoires*, la révolte des grands contre le nivellement politique voulu et poursuivi par la monarchie, le duc vient après : il écrit à Versailles, au sein de la noblesse domestiquée, ses souvenirs pleins de fiel où s'étale le dégoût de la cour, micro-société asservie aux caprices du Prince et de ses favorites.

Mais il est une deuxième littérature de contestation : celle qui s'indigne contre l'état du royaume, et finit par reprocher à Louis XIV d'être un mauvais roi. La voix de La Bruyère proteste contre la misère des paysans et les excès de la guerre. La « lettre au roi » de Fénelon est une longue épître au prince mauvais berger, qui conduit son peuple où les desseins de Dieu ne souhaitent pas de le voir marcher. Enfin, les écrits de Vauban peuvent faire figure de témoignage révolté contre les formes d'injustice d'un État qui ne s'est dégagé de la féodalité que pour entrer dans l'arbitraire. Ces trois témoignages ne sont pas sans annoncer la littérature philosophique du siècle suivant : ils inaugurent la tradition littéraire française de la révolte politique et de l'engagement de l'écrivain dans un combat pour la justice ou la liberté.

● **La révolte politique de l'écrivain du XVIIIᵉ siècle**

Cette voie devait s'avérer au XVIIIᵉ siècle particulièrement féconde. Au *Siècle des Lumières*, la révolte s'exprime essentiellement par la polémique. Diderot, Voltaire sont de prodigieux polémistes. Si Voltaire avait connu la grande presse quotidienne, il eût été sans doute journaliste, chroniqueur dans un grand organe de combat. Toutes les occasions étaient à saisir pour affirmer une volonté de protestation, de contestation, de révolte. Il n'est guère étonnant que l'ordre ait exilé Voltaire, embastillé Diderot. On se demande quelle censure, quel ministre de l'Information, quel directeur de grand quotidien accueillerait aujourd'hui de telles recrues dans ses colonnes... La révolte est l'attitude constante, établie, assurée, du polémiste de Ferney. Il accable de ses traits non seulement le régime et ses hommes, policiers et juges, soldats et ministres, mais aussi l'ordre religieux, l'« infâme »... Il cherche à sa révolte toutes les justifications possibles dans l'Histoire, la philosophie, la science, la sociologie... La révolte anime la recherche, féconde l'*Encyclopédie*, sensibilise le public qui sait lire, aux thèmes de la révolution : liberté de pensée, liberté d'expression, liberté individuelle, contrôle de l'autorité. Tous les aspects particulièrement révoltants d'un ordre jugé indigne sont mis en vedette, impitoyablement. L'affaire Calas devient un drame, la guerre devient un crime, les sanctions contre les philosophes des abus de pouvoir. La littérature s'engage dans un combat qui est à la fois social et politique : on veut détruire non seulement l'absolutisme, mais le privilège. Seule la révolte peut y parvenir.

Le révolté n'est plus un individu isolé, perdu dans son rêve de justice, il est un partisan, un directeur d'opinion, un « leader », comme nous dirions aujourd'hui. De savantes recherches ont montré quel avait été, au XVIIIe siècle, le cheminement des idées révolutionnaires. La constitution en France d'une classe bourgeoise plus nombreuse et mieux instruite, l'apparition d'un assez grand nombre de journaux et de « libelles » souvent imprimés à l'étranger et introduits en France « sous le manteau », contre le gré du « Directeur de la Librairie » (le grand censeur royal), les multiples sociétés de pensée, comme les Académies de province, la multiplication des salons, des cafés littéraires et politiques créaient en France un terrain favorable à l'activité idéologique de la révolte. Les idées de Voltaire n'étaient pas perdues, pas plus que celles des autres philosophes : elles empruntaient mille canaux pour toucher un public chaque jour plus nombreux ; elles influençaient en profondeur les mentalités françaises.

Révolte est devenu synonyme d'action, et non plus seulement de pensée. Le révolté n'est pas un intellectuel, c'est un homme engagé dans un combat. La plupart des philosophes conforment leur vie à ce schéma; du moins les Encyclopédistes, car l'édition de l'*Encyclopédie* est en elle-même un combat. La célèbre publication était, si l'on veut, la manifestation d'une révolte de l'esprit — des Lumières — contre les ténèbres d'un autre âge. Il fallait que la vérité éclate, que la guerre fût condamnée, comme le despotisme, que Turgot revendiquât la libre circulation des grains, que la tolérance fût proclamée... D'Alembert et Diderot n'étaient pas seulement des révoltés, constamment passibles de prison, ils étaient devenus, par le développement de l'opinion publique comme puissance politique, des chefs de partis.

Cet esprit partisan les opposait à ce qui avait été l'état d'esprit du siècle précédent. Voltaire jugeait bon, dans ses *Lettres philosophiques*, de prendre directement à partie Pascal, dans une longue polémique, qui montre, plus qu'une incompréhension de la pensée du Maître de Port Royal, la volonté délibérée de rejeter à priori cette pensée, comme témoin d'un ordre contre lequel on se révolte, l'ordre théologique. En menant quotidiennement le combat de la raison contre l'absolutisme et l'arbitraire, de la critique contre le dogme, les Philosophes étaient bien des révoltés, repoussant en enfer tout ce qui avait précédé la découverte des « Lumières », anathémisant le passé au nom des valeurs nouvelles, créant ou recréant le mythe du changement nécessaire, du « progrès », de ce que nous appelons aujourd'hui la « modernité », notion devenue fondamentale depuis lors dans l'Occident chrétien.

● La révolte de la philosophie

Si les « Philosophes » du XVIIIe siècle ont été les artisans essentiels de la grande révolte collective qui devait conduire à la révolution, c'est qu'ils trouvaient la source de leur inspiration dans la philosophie elle-même, considérée comme la réflexion permanente d'un esprit contre l'ordre, comme une révolution intellectuelle continue. Car la révolte est d'abord un acte individuel, la protestation d'un individu contre un ordre, contre une fatalité. Alain a montré, en analysant le mythe d'Er dans *La République* de Platon, comment la révolte était d'abord celle de l'homme devant son destin. On s'imagine qu'il va pouvoir « tout changer au lieu de se changer » et « tirer un paquet » qui lui permette de changer de vie, sinon de changer la vie. Illusion, dit Alain, commentant Platon : on tire toujours le même « paquet ». L'injuste, s'il peut revivre, sera toujours injuste, et le tyran tyrannique, et l'ivrogne intempérant. Mais tous vivent de l'idée qu'ils vont pouvoir arrêter le temps, entrer d'un coup dans l'éternel, rompre la ronde des « moments » à leur profit personnel; leur révolte de carton est à la mesure des personnages transparents de la « caverne ». Il n'est pas de révolte possible. Il faut accepter ce qui est, et renoncer à changer l'homme par des moyens aussi futiles que la fuite hors du réel.

Voilà philosophiquement condamnée la révolte métaphysique. On ne peut « se » révolter ou « se » rebeller contre un ordre qui est celui des mondes, des infinis, de l'éternel. Et pourtant, s'il n'y a pas, chez Platon, une philosophie de la révolte, il existe une révolte de la philosophie; plus précisément, la révolte est d'abord, essentiellement, l'attitude du philosophe.

« Ne pas s'indigner, comprendre », disait Spinoza. Mais pour comprendre, il faut « se » poser en dehors de l'ordre, pour le voir et le mettre en place. « Exister », n'est-ce pas, d'entrée de jeu, se « situer » face au monde pour l'assumer dans la conscience au lieu de le subir dans l'ignorance? Cette attitude moderne des philosophies de l'*existence* trouve ses racines dans l'histoire de la philosophie tout entière. Socrate, chasseur de jeunes gens riches, leur enseigne dans *Le Sophiste* qu'il faut admettre le mensonge « pour que le non-être soit en quelque manière »; et comme les jeunes gens riches se révoltent et s'indignent à l'idée de l'existence du non-être, Socrate se réjouit de leur naïveté et maintient qu'il faut accorder au non-être sa part. Plus tard *Philèbe* essaye de déterminer cette part en montrant l'interaction du fini et de l'infini, du limité et de l'illimité, de l'être et du néant. La montée du néant à la conscience philosophique implique, dit Platon, une véritable révolte contre la tradition présocratique, et « pour ainsi dire l'assassinat de notre Père Parménide » qui soutenait que l'être était un tout, que le non-être ne pouvait en aucune façon se concevoir. L'assassinat du « Père », la mystification des jeunes gens riches, la mise en question des certitudes tranquilles de la société d'Athènes sont les éléments de la « révolte » socratique qui trouve une issue temporelle dans la cérémonie de la ciguë. Elle ouvre la voie à une tradition de la révolte philosophique qui n'a pas fini de mourir.

La littérature philosophique est en effet privilégiée en matière de révolte. Les philosophes, toujours soucieux de comprendre et de substituer à l'ordre en place une autre conception de l'ordre, sont d'abord des révoltés. On trouve à l'origine de tous les grands « systèmes » la même attitude. Descartes : tout ce qui le précède, les milliers de parchemins noircis par les prétendus philosophes du Moyen Age sont à éliminer. Ils accréditent une conception fausse de l'esprit et du monde. Il ne faut pas croire saint Thomas, il faut brûler saint Anselme. Soldat du roi en Allemagne, Descartes « duelliste », comme dit Alain, se retire dans son « poêle » et « se » retranche du monde. Quand il fait surface, c'est pour annoncer à grand fracas qu'il faut « faire table rase » de tout ce qui emplit les cerveaux humains de fausses sciences et de concepts inachevés. Le salut passe par la révolte, et la révolte implique la destruction de tout ce qui a constitué l'Ordre jusqu'ici accepté. La seule chose dont on peut être assuré au départ, c'est de l'« existence », de « l'îlot du cogito » comme disait Husserl à la célèbre conférence qu'il devait prononcer à la Sorbonne sur Descartes.

Pour relier l'île au continent, le philosophe préféré de la reine de Suède jetait des ponts en bois que ses successeurs devaient brûler joyeusement. Dans son ordre nouveau, Descartes avait dessiné quelques chaussées solides : la géométrie, la théorie de la lumière. Mais il s'était embourbé dans les voies incertaines de la physique des forces et des sciences de la vie. Révolte! C'est Leibniz qui, cette fois, crie au loup! Il est plaisant que l'homme du *cogito* ne puisse concevoir le « carré de la vitesse » comme si cette notion avait besoin, pour être reçue, d'une représentation physique, perceptible, sensible. Et de dénoncer les relents théologiques des *Méditations* qui conduisaient aux « erreurs mémorables » dont la science aurait bien du mal à sortir, si l'on ne se décidait à brûler une fois pour toutes le « Père » Descartes.

Le bûcher à peine éteint, un nouvel inquisiteur prêchait la révolte à Kœnigsberg. Après Spinoza, qui avait commencé la mise en question des fondements métaphysiques de la philosophie, Emmanuel Kant écrivait au soir de sa vie la *Critique de la Raison pure* pour fonder la connaissance humaine sur les solides piliers de la raison et de l'expérience, excluant le recours à Dieu. Scandale! Personne ne suivait. Révolte! Kant publie les « *Prolégomènes à toute métaphysique future qui voudra se présenter comme science* ». Il condamne, anathémise toute la fausse science qui ne reconnaît pas le bien-fondé de « sa » remise en question. Mon livre n'est pas, explique-t-il, un « nouveau thermomètre en métaphysique »; et de mettre en garde les défenseurs de l'ancien ordre : « que tous ceux qui jugent utile de s'occuper de métaphysique interrompent un moment leur travail et se demandent si quelque chose de tel que la métaphysique est seulement possible ». Pour répondre à cette question essentielle, il faut évidemment lire et assimiler la *Critique de la Raison pure*, qui seule définit les conditions de possibilité de la connaissance elle-même. Fondateur vrai de la science moderne, Kant s'est donc « posé » en s'opposant, et dans son opposition, il y avait la même révolte que celle de Galilée contre les savants théologiens de Pise, qui le traitaient de « vipère repue ».

Las! quelques années seulement après que fût connue la *Critique de la Raison pure*, une autre cervelle allemande allumait le boutefeu de la contestation. Mais cette fois, dans « révolte », il fallait lire quelque chose de plus que la protestation individuelle d'un philosophe contre un ordre : dans « révolte » était sous-entendu « révolution ». Pour Hegel, le philosophe d'Iéna, il fallait voir « le monde à l'envers » sous peine de ne rien voir du tout. Il ne suffisait pas de « se » révolter. Il fallait comprendre que la révolte ne conduisait à rien, si elle n'accomplissait pas, comme les astres et les planètes, le grand tour autour d'elle-même qui devait lui permettre de considérer toutes choses, aux solstices, la tête en bas.

La belle première page de la *Phénoménologie de l'Esprit* de Hegel devait recourir à d'étonnantes métaphores pour peindre cette « révolution » : le mot « révolte » suggère un brusque retour sur soi, une volonté de rompre, de s'arracher à ce qui est. Le mot « révolution » suggère à Hegel des métaphores significatives : il en est, dit-il, de la révolution comme de la naissance d'un enfant, ou du lever du soleil. Des signes avant-coureurs l'annoncent. Mais ils ne peuvent être interprétés dans un premier temps que comme des accidents ou des anomalies. Après la naissance seulement, ils deviennent ce qu'ils sont : des symptômes qui annonçaient l'événement, qui préparaient sa venue. Dans l'incohérence et la surprise de ces apparitions, il y avait un ordre nouveau, une existence neuve qui attendaient d'apparaître, et cette « naissance » exigeait aussitôt toute la place, transformant la vision du monde et changeant l'aspect de toutes choses. Ainsi Hegel concevait-il la révolution.

On voit la distance avec la « révolte » : les « révoltes » sont pour le philosophe les éléments individuels, anecdotiques, d'un vaste mouvement qui se fait en profondeur. Si les révoltes vont dans le sens de l'événement, elles le servent et prennent de lui leur sens. Si elles vont contre l'événement, elles ne sont pas moins significatives des tentatives de résistance d'un ordre ancien qui se meurt. La révolte devient ainsi la signalisation des points d'achoppement entre l'homme et la dialectique, entre l'homme et le monde. Dans la machine à sous de l'histoire, ils sont les plots qui s'allument ou s'éteignent, indiquent si l'on peut rejouer le jeu, ou si, l'absolu étant, comme dit Hegel, une fois pour toutes « réintégré », l'appareil fera « tilt » pour l'éternité.

Car l'aventure de Hegel se termine singulièrement à la victoire d'Iéna. Pour le philosophe, Napoléon est le symbole d'une sorte d'accomplissement historique, où l'individu s'intègre définitivement à l'histoire. Rêverie, dit Marx, rêverie d'un philosophe dont la pensée n'est pas soutenue par l'expérience concrète des luttes et des misères de la réalité quotidienne. Il faut « remettre Hegel sur ses pieds » et adapter la dialectique à l'explication des phénomènes économiques et sociaux. Et de poursuivre, dans *Le Capital* et dans les autres écrits philosophiques cette analyse dialectique des phénomènes de l'histoire, utilisant de Hegel la méthode, tout en refusant sa vision du monde. La révolte n'est pas pour Marx un accident de l'histoire, elle est, par la lutte des classes, le rouage essentiel du progrès, la formulation concrète de la négation de l'ordre, de la mise en question du système. La révolte cesse d'être considérée comme une anecdote pour acquérir la dignité et le sérieux de l'engagement.

● La révolte sociale des XIX⁰ et XX⁰ siècles

Pour Marx, comme jadis pour les philosophes français du XVIII⁰ siècle, la révolte cesse donc d'être l'attitude individuelle du refus d'un ordre par l'esprit, elle devient un combat continu, historique, doté d'une signification et d'un sens. L'expérience de la révolution française avait montré que la réflexion, la révolte des intellectuels n'étaient pas inutiles, si elles avaient pour conséquence d'ordonner le désordre, et d'assigner une fin à la révolte populaire.

L'événement avait marqué les consciences. Il avait montré que l'idée de révolte pouvait avoir des conséquences tangibles, voire sanglantes : l'idée de révolte s'était noyée dans la révolution comme les fleuves se noient dans les mers.

Dès lors une révolte contre la révolution devenait possible, à l'échelle individuelle. La France intellectuelle découvrait la force de la réaction, au sens où, dit Maurras, « dans réaction, il y a action ». Révolte contre le sang, l'arbitraire des exécutions et des spoliations, contre l'exil de Dieu hors de la société civile, contre la nouvelle société de 1789... Rousseau ici faisait des adeptes... chez les ultras. Le « bon sauvage », c'était, pour La Bourdonnaye, le sujet du roi au XVIIe siècle, qui aimait ses maîtres, ses curés et son roi. La révolution en avait fait un voleur, impie, insolent, débauché. Le « contrat » social était une imposture. Le devoir individuel consistait à refuser la société du péché, la société illégitime. « Des fers, des bourreaux, des supplices » pour extirper le mal du corps social, pour opérer la France malade et contaminée, pour retrouver le bon vieux temps où le roi se faisait sacrer à Reims.

Au-delà de 1848, cette révolte réactionnaire abandonnant le combat contre la révolution politique, élargira ses objectifs et ses thèmes : elle deviendra, à la fin du XIXe siècle, une révolte en bloc contre la société industrielle, contre les « barons de l'usine et du rail », contre la hiérarchie de l'argent. La pensée « chevau-léger » (on appelait ainsi les royalistes légitimistes) dénonce âprement les méfaits de l'argent et réclame avec insistance le rétablissement de la société chrétienne. Elle s'emporte autant contre l'usine que contre le code civil. Elle flétrit bien plus le banquier que le bourgeois. Elle était antijacobine; elle devient, avec Maurras, anti-capitaliste.

Mais la révolte contre l'argent et l'industrie dépasse infiniment l'attitude réactionnaire, qui apparaît comme singulièrement fixe, limitée, étroite, en comparaison de la floraison des littératures de contestation que, pour simplifier, nous appellerons socialistes, entendant par là qu'elles se proposent toutes d'entrer en lutte pour plus de justice sociale.

Pour Saint-Simon comme pour Chateaubriand, la société du début du XIXe siècle est marquée par l'impuissance et l'ennui. Mais il faut se révolter contre la « nature des choses » et imposer aux choses les lois de développement de l'esprit. La révolte de Saint-Simon est celle de l'ingénieur et du banquier contre une société où le « pouvoir de décision » appartient encore à des élites surannées, impuissantes, à des « ducs et pairs », à des « évêques », alors que les leviers du pouvoir devraient passer entre les mains de ceux qui peuvent, par la science et la technique, transformer le monde : les artisans de la révolution industrielle. Ce transfert du pouvoir est indispensable, et le maintien en place des formes du passé est un scandale contre lequel il convient de s'insurger.

Un autre « révolté », Fourier, complète la pensée de Saint-Simon : la révolte, cette fois, devant le gaspillage de la consommation : épicier à Marseille, Fourier est le premier à juger scandaleuse la perte de richesses due aux contradictions du capitalisme, impuissant à juguler la « loi naturelle » de l'offre et de la demande, et qui préfère détruire des biens de consommation, que de vendre sans bénéfice suffisant. L'épicier Fourier est en avance sur son temps : sa révolte n'en a que plus de prix; elle s'intègre à la contestation pré-socialiste du système de l'offre et de la demande, réputé par les libéraux « loi de nature », loi sainte.

Avec Saint-Simon et Fourier, nous restons dans le domaine de la théorie, de la révolte en quelque sorte raisonnée. Avec Louis Blanc, Auguste Blanqui, Barbès et les théoriciens de 1848, nous entrons dans le concret de la souffrance, dans la révolte pour la vie et la dignité ouvrière. La conquête du « droit au travail », du droit syndical est précédée et rendue possible par une longue et violente préparation idéologique des auteurs et des écrivains « socialistes » qui font de la misère du monde ouvrier un portrait en lui-même révoltant. Ce portrait n'est pas seulement brossé par ceux que l'on pourrait appeler les professionnels du socialisme. Les romanciers, les poètes, y ajoutent des traits de leur cru. La révolte ouvrière sort aussi bien de *Lucien Leuwen* que des *Misérables*.

Car, en 1848, les thèmes humanitaires ne sont pas seuls présents : on ne se révolte pas seulement devant la souffrance, mais essentiellement devant le scandale de l'injuste. Au « manifeste international » de Karl Marx publié cette année-là à Londres répond le cri du Français Proudhon : « la propriété, c'est le vol ». A la révolte contre l'argent, vice de la société, contre la société de l'argent, poussait toute une littérature de la première moitié du siècle. En ce sens Vautrin annonçait le socialisme bien autrement que les personnages falots et misérabilistes d'Eugène Sue, qui développaient scandaleusement une sorte de romantisme de la misère : les personnages de Balzac posaient le problème social en son fondement, et prenaient à la source les facteurs d'injustice : au niveau de la propriété. Seuls ces ambitieux étaient susceptibles de sortir de leur condition misérable. Selon les vues de ce légitimiste déçu, les seuls « bons » représentants de la société étaient ceux pour qui l'argent ne comptait pas, le médecin ou le curé de campagne, le héros en demi-solde. L'optique de *La Comédie humaine* était donc celle d'une révolte continue contre la société de l'argent. Hostile à la société issue de 1789 Balzac et son œuvre apportaient de l'eau au moulin de la contestation socialiste.

Ce courant de révolte appuyé sur la littérature de critique sociale devait se développer tout au long du siècle et prendre une plus ample dimension avec Maupassant, avec Zola et les adeptes du roman naturaliste. Non seulement ces romans utilisaient tous les thèmes inspirateurs de la révolte : développement de la société des monopoles, injustice et spoliations dues au règne de l'argent, « haute noce » des nantis, misère des exploités — mais avec Zola pour la première fois, la révolte ouvrière entrait dans la littérature, presque sous la forme d'un reportage continu des luttes et des grèves. *Germinal* n'était pas un roman comme les autres. Il était l'accession de la nouvelle classe ouvrière révolutionnaire au rang de mythologie littéraire.

Ce thème allait s'approfondir et s'élargir au XXe siècle. La révolte ouvrière allait devenir le thème de toute une littérature internationale, russe, américaine, allemande aussi bien que française. On peut même dire que la France, qui, avec Zola et les naturalistes, avait plus ou moins lancé le mouvement, restait à la traîne. Ni les grandes grèves révolutionnaires de 1905-1910, ni les commotions des années 1919-1921, ni même le Front populaire n'eurent leur romancier. La littérature française restait sensibilisée par la révolte individuelle de l'écrivain devant le scandale social, devant la misère et la guerre. Ainsi Roger Martin du Gard, et son héros Jacques Thibault suivent la révolte de Jaurès contre la guerre, mais non celle de Lénine contre la société.

La révolte littéraire de l'après-guerre n'est pas davantage

inspirée par les combats de la classe ouvrière, mais plutôt par la mise en question individuelle de la société occidentale prise cette fois comme un ensemble de significations : *Dada* et les surréalistes ne veulent pas détruire le profit, mais, tout ensemble le Panthéon, la Tour Eiffel, la Comédie et l'Académie françaises, le Vatican, le Franc-Poincaré, le Franc-germinal, le langage lui-même, la phrase, la ponctuation, la rhétorique. Il s'agit d'une révolte globale, prélude à une révolution universelle des mentalités, et point seulement des choses. La révolution surréaliste est en même temps sexuelle et littéraire, en même temps religieuse et sociale : elle est totale et se veut d'abord rupture, rejet, révolte.

Si la littérature approfondit la révolte individuelle, elle élargit le cadre de la révolte collective. Les luttes ouvrières françaises relèvent peu de la littérature; mais la guerre d'Espagne, la révolution chinoise deviennent des thèmes internationaux. La révolte est désormais mondiale. Malraux s'engage dans les Brigades internationales ou part pour la Chine. L'adhésion au communisme est moins importante, dans cette optique, que l'adhésion à la révolte, au combat pris comme un élément en quelque sorte indépendant, comme un pur cristal de l'engagement. On ne se bat pas pour « l'espoir » mais parce que la vie n'a de sens que dans ce combat. Les grands révoltés des Lettres internationales sont des combattants itinérants, des engagés permanents qui passent d'un continent à l'autre en présentant le passeport de la révolte, signe de reconnaissance suffisant pourvu qu'on veuille se battre. La révolte n'admet plus les reporters et rejette les tièdes, les esthètes et les pédérastes. Elle exige que l'on écrive seulement si l'on sait se servir d'un fusil mitrailleur.

Désormais les écrivains ne sont plus des révoltés, des serviteurs désintéressés d'une cause qui n'est la leur que parce qu'ils l'ont choisie. Les vrais écrivains de la révolte sont les révolutionnaires eux-mêmes, dont l'action, le combat, sont aussi parole et livre. Mao Tse-Toung, « poète et soldat », Che Guevara, Fidel Castro, mais aussi bien Luther King ou Senghor, du temps de sa lutte pour l'indépendance, sont en même temps acteurs responsables et écrivains. Leur révolte est un geste et un cri. Il n'y a pas littérature de la révolte; la révolte est littérature en même temps qu'elle est action.

La révolte dans l'engagement n'exclut pas la révolte non-engagée, celle qui se situe sur un terrain philosophique, critique, littéraire, et qui n'a pas pour cadre la réalité concrète et quotidienne d'un combat. La période qui suit la deuxième guerre mondiale voit se développer en France une littérature et une philosophie de l'absurde, en même temps qu'une révolte contre l'absurde : le retentissement de *La Nausée* de Sartre, de *L'Étranger* de Camus fut bien plus considérable que celui de leurs ouvrages doctrinaux : *L'Être et le Néant* ou *La Chute*. Ils avaient trouvé une forme littéraire d'expression de la révolte contre l'absurde, en même temps que de description de l'absurdité de cette révolte elle-même. A la mesure des « taches de bière » sur la table du café (*La Nausée*), la révolte déployait dans le monde sa coloration d'absurdité et se dévorait elle-même comme Sisyphe (Camus). Même si les parangons de cette révolte trouvaient ici et là dans « l'engagement » un antidote contre l'absurde, un moyen de « se mettre en situation » pour l'« assumer » et dissiper l'aliénation, d'autres, refusant tout crédit à l'engagement, poursuivaient individuellement la révolte en développant le thème de l'absurde sur la scène, à l'écran, dans la littérature. La vogue de Ionesco et du théâtre de l'absurde est dans la perspective de ce refus d'échapper à l'absurde par l'engagement, de persister dans l'absurde, de faire de la révolte un phénomène aussi cosmique que la soupe du pauvre homme, qui, dans Ionesco devient fleuve, mer et déluge.

La littérature de l'engagement, en France, restait cependant dans des limites raisonnables, faute d'une alimentation suffisante en thèmes précis de révolte. Roger Vailland abandonnait le réalisme des *325 000 francs* ou de *La Fête* pour échapper avec *La Loi* dans l'imaginaire de Calabre, et, avec *La Truite* dans la description stylée d'une certaine société de consommation, où l'auteur des *Mauvais Coups* semblait devoir sombrer corps et biens. Sartre engagé n'a produit que quelques articles, quelques communiqués mémorables, mais pas une œuvre. Le nouveau roman, comme le nouveau cinéma, semblaient être des recherches de sémantique ou de langage sans rapport avec la description révoltée d'une réalité révoltante.

Et cependant la contestation, avant même qu'elle eût une issue dans l'actualité, produisait déjà des œuvres qui mettaient la révolte au centre de la création. De la révolte contre un style, on passait sans transition à la révolte contre un monde. Parti d'abord en guerre contre les tutus, Maurice Béjart découvrait la révolte des corps et Roméo et Juliette mouraient sous les

bombardements. Nathalie Sarraute et Robbe-Grillet produi-
saient des œuvres hautaines, des exercices de style sans conces-
sion comme sans ouverture, mais Michel Butor annonçait
dans ses lignes sa participation baroque à la prise de l'Hôtel
de la *Société des Gens de Lettres* en mai 1968. Le *Rhinocéros*
faisait fureur au théâtre et le tout Paris s'engouait pour
l'absurde, mais déjà pointait, avec Arrabal, le « théâtre de
cérémonie » qui trouverait de beaux jours en banlieue, avant
d'éclater sur les boulevards. La révolte explosait dans une
systématique de la mise en question. Tous les processus de
libération gagnaient une sorte de dignité de spectacle, y compris
les plus sommaires : et si l'on parlait, en conférences, de « libération sexuelle », l'irruption des rythmes et des manières de
vivre d'outre-atlantique, l'apparition du phénomène « jeune »
sous toutes ses formes, la vogue du *hippy* et du *beatnik* faisaient
sombrer la société de consommation dans ses fantasmes, et
l'empoisonnaient de ses mythes. Toutes les télévisions, tous
les cinémas du monde occidental répandaient les images des
névroses et des « cérémonies » collectives et l'on parlait de
« théâtre total » comme si, fondamentalement, le théâtre dût
être une révolution ; et l'on parlait de « révolution culturelle »
comme si l'adjectif devait oblitérer le nom de sa résonance
rassurante, alors que la culture était prise au piège de la révolte ;
qu'elle ne pouvait s'affirmer sans une révolution totale. Un
mouvement collectif d'une puissance considérablement ampli-
fiée par les *mass media* poussait à la révolte le cinéma, le théâtre,
la littérature, la danse, la chanson, comme si tous ces modes
d'expression dussent se rejoindre, en dernier ressort dans la
rue, tel le *Living Theater* à Avignon, contestant la scène, les
masques et les projecteurs, pour exiger la libération totale de
la foule participant à la révolte dans son intégralité.

● **La littérature de la révolte.**

Ainsi donc révolte individuelle, littéraire, philosophique,
finissait par coïncider avec le thème de la révolte comme engagement collectif. Cela ne doit pas nous faire oublier, à côté
d'une révolte de la littérature, l'existence continue d'une littérature de la révolte ; il faut entendre cette fois « littérature »
au sens d'écriture : à la fois constat et manifestation écrite :
discours, pétition et reportage. Les innombrables révoltes

politiques et sociales qui se sont manifestées en France du Moyen Age à nos jours ont accumulé les documents de cet ordre, dont il faut, à l'évidence, rendre compte dans le cadre de ce recueil.

Nous possédons, à cet égard, deux types de témoignages : d'abord la relation des révoltes elles-mêmes; cette relation peut être le fait d'un témoin, d'un acteur, ou de l'autorité qui s'oppose à la révolte. Les jacqueries ou les révoltes étudiantes du Moyen Age ont leurs chroniqueurs, comme les Croisades ou les « entrées de Princes ». Cette littérature est sans doute moins connue; elle existe, et n'en est pas moins une littérature. Les premières révoltes ouvrières de la Renaissance ont laissé des traces, des relations, qui ont autant d'importance et de vérité que les relations des révoltes protestantes. Sans doute les courts passages où La Bruyère évoque la misère des paysans de France ont-ils tout leur prix; mais le récit des dragonnades et des révoltes sous Louis XIV sont plus vivants et plus informatifs; on connaît l'engagement de Voltaire dans l'affaire Calas. Mais les troubles et les secousses de la société française au XVIIIe siècle ont laissé des traces plus directes, dans la relation qui en est faite par les intendants. Turgot aux prises avec la « guerre des farines » est bien plus passionnant que le théoricien de la liberté de circulation des grains. C'est dans l'affrontement concret que se révèlent les hommes et les caractères. La relation de ces affrontements n'est pas toujours académique. Elle est cependant une littérature : celle de la révolte.

On peut poursuivre naturellement cette analyse au-delà de la révolution française : plus l'imprimerie et le journalisme se développent, plus l'édition s'affranchit de ses contraintes, plus la révolte trouve une expression, une vulgarisation littéraire : il faudrait ajouter, naturellement, une expression graphique : les dessins de Daumier sur les massacres de la rue Transnonain en disent autant sur les révoltes républicaines de la Monarchie de Juillet que les déclarations ou les relations de la révolte des canuts lyonnais. Chaque révolution parisienne du XIXe siècle est préparée par des séries de révoltes à la fois dans les campagnes, les usines et les villes. Jacqueries de la disette en 1847, émeutes contre les « mécaniques » anglaises dans les régions industrielles; grèves illégales et répressions... ces manifestations sont le pain quotidien du siècle... Elles s'intensifient et se dramatisent dans les derniers mois du Second Empire : les rapports de préfets de 1869-1870 sont le témoignage de la montée des révoltes. La Commune de Paris est un florilège de récits, de témoignages, de dessins, d'articles de journaux, de mémoires, une véritable moisson de révolte.

Les dernières années du siècle ne sont pas moins riches : aux révoltes sociales, ouvrières, s'ajoutent la célèbre insurrection des vignerons du Midi et la mutinerie du 17e de Ligne. La révolte est à son comble sous le ministère Clemenceau et plusieurs textes en ont gardé le témoignage. Mais il faut ajouter que, de 1880 à 1914, la révolte est aussi politique et religieuse : il y a les affaires célèbres : celle de Dreyfus, celle de Panama. Il y a la séparation de l'Église et de l'État, la crise anarchiste, plus tard, la révolte des soldats contre la guerre, lors des mutineries de 1917.

La législation sociale et ses progrès, l'amélioration légale du sort des ouvriers, la sollicitude des hommes politiques de la Troisième République à l'égard des paysans, surtout depuis 1890, la loi sur les libertés syndicales créent, à long terme, une certaine détente sociale : les « grèves sauvages » deviennent des grèves organisées; les jacqueries disparaissent, les processus d'arbitrage et de négociation se développent. La révolte déserte, au xxe siècle, le camp social, mais reste vivace dans le domaine politique où elle inspire de nombreux textes venus d'horizons souvent opposés : les grands scandales éveillent à l'extrême droite le thème de la révolte et provoquent de véritables insurrections ou manifestations violentes, comme celle du 6 février 1934. A gauche, la révolte n'est guère à l'ordre du jour avant 1940. Le Front populaire est une joyeuse kermesse. La gauche revendique la légalité et l'organisation d'un puissant mouvement social qui exclut le recours à l'« aventure » et prône l'union, l'intégration, l'union concertée. C'est dans le désespoir des premières années de l'occupation que la révolte retrouve une voix, celle des premiers martyrs. Cette voix s'amplifie et devient un thème de combat tout au long des années de la guerre.

Après le défilé de la victoire et la Marseillaise de l'Hôtel de Ville, il n'y a plus guère de place pour la révolte dans une société nouvelle qui se met rapidement en place, et qui, plus que jamais, revendique, dans tous les domaines politiques et sociaux, la légalité et l'organisation. La crise longue et de plus en plus violente de la décolonisation, qui culmine avec le drame algérien, redonne sa place au thème de la révolte, contre la guerre, la souffrance, la torture, l'abandon... C'est alors la révolte de l'armée et des « mercenaires » contre les hasards et les démissions de la politique. C'est aussi la révolte des intellectuels contre les méthodes de la guerre contre-révolutionnaire. Le manifeste « des cent vingt et un » est à cet égard un des textes les plus importants de cette période.

Il faut attendre la mise en question sauvage de la société dite de « consommation » par les milieux étudiants pour voir réapparaître le visage de la révolte, et se multiplier son iconographie. Essentiellement intellectuelle, cette révolte se manifeste dans la rue, mais aussi sur les murs, elle imprime des tracts, des journaux, des affiches qui sont l'expression la plus contemporaine de la protestation violente contre un ordre.

Dans l'étude chronologique, présentée par siècles, que nous proposons de la révolte, nous nous efforcerons de distinguer l'idée de révolte de la violence et de l'émeute; mais il est évident que ces deux réalités se trouvent la plupart du temps confondues : la révolte est un appel à la violence, et la violence suggère et nourrit la révolte.

Dans la mesure où la révolte se dresse toujours contre l'ordre établi, elle apparaît comme la volonté « sauvage » de transformer le monde. Mais il est vrai aussi que longtemps avant l'ouverture des crises de violence, la révolte a trouvé une expression intellectuelle à travers tel ou tel homme de lettres, tel ou tel homme politique, tel ou tel poète... Avant d'être l'expression d'une colère collective, la révolte est la plupart du temps le fait d'un homme isolé, qui donne à sa protestation tout le poids de sa position littéraire. Ces révoltes individuelles ne sont pas violentes; mais dans la mesure où elles contestent l'ordre, elles sont réputées dangereuses. Les révoltes d'écrivains sont, selon les siècles, autant redoutées par les pouvoirs que les révoltes sauvages de la rue. Il y a une censure au XVIIIe siècle; le XIXe siècle vit dans une succession de lois restreignant souvent la liberté de la presse. Le droit à la révolte, et même à la contestation est toujours très difficilement reconnu par le pouvoir. C'est précisément le propre des écrivains que de le défendre.

Cette défense, traditionnelle en France, s'est trouvée pour

ainsi dire institutionnalisée à partir de l'affaire Dreyfus, avec l'apparition d'un nouveau parti et d'un pouvoir d'un type nouveau : celui des « Intellectuels ». Appuyés sur la presse, sur l'édition, sur les nouvelles lois, très libérales de la Troisième République, les intellectuels estiment avoir conquis le droit à la révolte. Ils s'estiment de plus en plus les garants du pouvoir de la contestation. Renoncer à ce droit leur apparaît comme une trahison.

De même que les grèves cessent d'être des manifestations violentes et imprévisibles pour être reconnues dans le cadre des lois, la révolte intellectuelle devient un fait toléré dont on ne conteste plus l'expression. Les intellectuels multiplient les mises en garde, les pétitions, les manifestations collectives chaque fois que la conjoncture les rassemble en des occasions spontanées. Cette littérature pétitionnaire exprime souvent assez vigoureusement le thème de la révolte.

Or, par son objet et par son contenu, la pétition est à la fois pensée et action. Qu'elle soit émeute ou pétition, barricade ou libelle, lettre ouverte ou révolution, la révolte, sous tous ses aspects, prend toujours la forme de l'écrit dès lors qu'elle présente un caractère suffisant d'universalité. Elle est à ce titre l'un des grands stimulants de la vie littéraire.

● CHAPITRE II

DU MOYEN AGE AUX TEMPS MODERNES

Le Moyen Age est une période longue, complexe et souvent encore mal connue de notre histoire; notamment en ce qui concerne les révoltes populaires. Toutefois, depuis les grandes invasions, la société qui s'installe en Occident est strictement hiérarchisée par le système féodal. Au lieu d'être égaux devant l'État et la loi écrite, les Français ne connaissent que des maîtres, des seigneurs, petits et grands féodaux, qui se cèdent, se lèguent ou s'arrachent entre eux les hommes et les terres. Le paysan, même s'il est libre (le cas se généralise de plus en plus en Occident) ne se distingue pas de sa terre. Il ne peut la quitter. Pour aller où? Même quand des servitudes précises ne lui interdisent pas le départ, il n'est pas près de l'envisager, départ signifiant aventure, incertitude, mort.

Et cependant le Moyen Age n'est pas la somme de micro-sociétés statiques, n'ayant aucun lien entre elles. De vastes phénomènes rapprochent les hommes, permettent l'échange des idées, apprennent et amplifient les révoltes. D'abord les pèlerinages font voyager les riches, mais aussi les gueux. Pèlerinages d'Occident, de Saint-Jacques-de-Compostelle, mais aussi pèlerinages vers l'Orient. Ceux qui viennent ou reviennent de l'Orient racontent les révoltes des grandes villes, l'impatience et la misère des peuples accablés par les maladies, les guerres, la faim, les exigences des maîtres.

Deuxième cause de mouvements, les grands défrichements : des milliers d'hommes quittent le village, partent pour des régions inconnues où ils obtiennent un statut de colons, une plus grande liberté, un autre mode de vie. Ces pionniers des forêts ou des marais féodaux sont des hommes libres. Ils servent d'exemples.

Enfin, aux XIIᵉ et XIIIᵉ siècles, l'argent revient. Les foires reprennent, les routes sont fréquentées par les marchands. Les paysans vont au bourg vendre les œufs, les volailles, le lait et le fromage. Ils rachètent au seigneur les droits féodaux en nature contre un droit annuel en argent, fixé une fois pour toutes, le *cens*. Ils acquièrent ainsi une certaine indépendance. Les grands défrichements ont en outre accru — au profit des paysans — les surfaces cultivées. Ces progrès rendent plus intolérables les traces de servitude qui subsistent. La révolte est la conséquence de ce déséquilibre. Les *jacqueries* éclatent : du XIIIᵉ au XVᵉ siècle l'histoire de notre Moyen Age est fertile en troubles de ce genre, provoqués par les disettes ou les impôts excessifs, levés par le roi ou par le seigneur en mal d'argent. La nouveauté, c'est que la révolte gagne peu à peu les villes. L'argent a créé dans les villes une nouvelle catégorie d'hommes libres, les habitants des bourgs ou *bourgeois*. Ceux-ci ont obtenu des seigneurs ou du roi des franchises, contre espèces sonnantes. Libres, ils s'appellent « francs-bourgeois ». Que le roi, ou les seigneurs, cherchent à leur imposer des taxes supplémentaires, que l'approvisionnement en vivres soit insuffisant, dans les périodes de disette, les révoltes éclatent, qui mettent parfois en question le pouvoir monarchique, comme celle d'Étienne Marcel, Prévôt des Marchands de Paris. Il ne s'agit pas ici de « lutte des classes », mais de révolte des nouveaux bourgeois, qui constituent une sorte d'élite urbaine, contre le pouvoir royal ou féodal, contre l'arbitraire de ce pouvoir. En ce sens, les révoltes de marchands annoncent, de très loin, la révolution de 1789.

Il manquait à ces révoltés des temps lointains une idéologie, des mots d'ordre. La découverte de l'imprimerie, et le grand affrontement des guerres de religion allaient créer un nouveau type de révolte, celle de l'idée, du sentiment, de la foi. Les

Cathares [1], les Huguenots [2], les Hussistes [3] sont d'abord des révoltés. Mais ils sont en outre — au moins pour les chefs — des révoltés sachant lire et écrire. Jusqu'au XVe siècle, il y avait seulement en France une chronique de la révolte : il y a désormais une littérature, une pensée, une philosophie. La révolte, comme le livre et la poudre à canon, est à la porte des temps modernes. Elle la pousse avec violence : nous sommes déjà au XVIIe siècle.

● Les jacqueries du Moyen Age

> La chronique des jacqueries du Moyen Age est surtout abondante à partir des XIIIe et XIVe siècles. Mais nous avons le récit de révoltes paysannes dès le XIe siècle. Ainsi, vers 1008, les paysans bretons entrent en rébellion contre le duc de Bretagne. Les paysans normands font de même. Voici le récit de la révolte contre le duc de Normandie, Richard II, dit le Bon [4].

Tandis que le jeune Richard abondait en vertus, il s'éleva dans son duché une semence de discordes pestilentielles. Car les paysans, à l'unanimité dans tous les comtés de la patrie normande, se rassemblèrent en plusieurs conventicules [5] et décrétèrent de vivre selon leurs caprices. Ils voulaient établir de nouvelles lois pour l'exploitation des forêts et des eaux, sans tenir compte du droit pratiqué auparavant. Pour que ces lois fussent confirmées, chaque groupe de cette foule en révolte choisit deux délégués chargés de porter les décrets [6] à une réunion générale au milieu des terres [7]. Quand le Duc l'a appris, il envoya aussitôt contre eux le comte Raoul, avec une multitude de soldats pour

---

1. Secte condamnée par l'Église et qui connut un grand succès, du XIe au XIIIe siècle, dans le Midi de la France. Les Cathares ou « Albigeois » furent exterminés après une « croisade » des hommes du Nord, conduite par Simon de Montfort (1218).
2. Protestants calvinistes. Ce surnom leur fut donné par les catholiques.
3. Partisans des doctrines de Jean Hus, réformateur tchèque excommunié et brûlé vif (1415).
4. Les trois textes suivants sont extraits de l'ouvrage de BRUHAT, *Histoire du mouvement ouvrier français*, Éditions Sociales, p. 44. *sq.*
5. Petites assemblées, du latin *conventus*, réunion.
6. Décisions acceptées par l'assemblée.
7. Au centre du comté.

comprimer cette férocité agreste[1] et dissiper l'assemblée rustique. Celui-ci, ne tardant pas à obéir, s'empara de tous les délégués et de quelques autres, leur fit couper les mains et les pieds et les renvoya hors de service aux leurs pour les détourner de leur entreprise et les rendre plus prudents, dans la crainte d'un sort encore plus misérable. Les paysans instruits de la sorte, cessèrent leurs assemblées et retournèrent à leurs charrues [...].

Un poète normand, Robert de Wace, écrivit deux « gestes », l'une « des Bretons », et l'autre, « des Normands ». Dans le *Roman de Rou*, ou geste « des Normands », il a évoqué les jacqueries. Il fait ici parler les révoltés. Nous sommes au début du XIIe siècle :

Nous sommes hommes comme ils sont.
Tels membres avons comme ils ont.
Et tout aussi grands corps avons.
Et tout autant souffrir pouvons.
Ne nous faut que cœur seulement.
Bien avons contre un chevalier
Trente ou quarante paysans.

Prosper Mérimée a raconté la « Grande Jacquerie » de 1358. C'est la guerre de Cent Ans. Les armées saccagent les récoltes. Le Roi lève sans cesse des soldats et des impôts. Il saigne les paysans aux quatre veines pour payer les rançons et lever les mercenaires. Trop de misère incite le paysan à la révolte. Le chef des « Jacques » est Guillaume Carle, ancien soldat. On se bat pendant un peu plus d'un mois. La répression est brutale, impitoyable. Dans ce texte est décrite la misère, mauvaise conseillère des révoltés :

En cette année, *raconte un témoin,* les vignes ne furent pas cultivées; les champs ne furent pas ensemencés, ni labourés; les bœufs et les brebis n'allaient plus au pâturage. Les églises et les maisons tombant de délabrement présentaient partout les traces des flammes dévorantes ou des ruines tristes ou fumantes encore. Les cloches ne sonnaient plus joyeusement

---

1. Notez le ton ironique du chroniqueur. Il est du côté du Duc.

pour appeler les fidèles à l'office divin, mais seulement pour donner le signal de la fuite aux paysans à l'approche des ennemis[1]. La misère la plus complète régnait partout, principalement parmi le peuple des campagnes, car les seigneurs le surchargeaient de souffrances, lui extorquaient sa substance et sa pauvre vie [...].

> Le chroniqueur Froissart décrit à sa manière la *Grande Jacquerie*. On remarque que Froissart attribue à la guerre, et aux grandes défaites françaises, la responsabilité de la révolte :

Il advint une grande tribulation[2] en plusieurs parties du royaume de France, en Beauvaisis, en Brie et sur la rivière de la Marne, en Valois, en pays de Laon, sur la terre de Coucy et aux environs de Soissons. Car certaines gens des villes champêtres, sans chef, s'assemblèrent en Beauvaisis; et ne furent pas cent hommes les premiers; et ils dirent que tous les nobles du royaume de France, chevaliers et écuyers, déshonoraient et trahissaient le royaume et que ce serait un grand bien de les détruire tous. Et chacun d'eux dit : « il est vrai! Il dit vrai! honni soit celui par qui il arrivera que tous les gentilshommes ne soient pas détruits! » Alors ils s'assemblèrent et s'en allèrent, sans autre conseil et sans aucune armure, si ce n'est des bâtons ferrés et des couteaux, en la maison d'un chevalier qui demeurait près de là. Ils bridèrent la maison, tuèrent le chevalier, la dame et les enfants petits et grands, et mirent le feu à la maison[3]... Ainsi firent-ils en plusieurs châteaux et bonnes maisons. Et ils grossirent tant qu'ils furent bien six mille[4]; et partout où ils arrivaient, leur nombre grandissait.

Froissart, cité par Jean Thoraval, *Les Grandes Étapes de la Civilisation française*, éd. Bordas.

---

1. Nous sommes pendant la guerre de Cent Ans : l'ennemi est indéterminé. C'est l'Anglais ou le brigand.
2. Troubles.
3. Cette pratique se retrouvera dans toutes les jacqueries, y compris sous la Révolution de 1789 : le paysan met le feu au château pour détruire les textes juridiques (polyptyques, cartulaires, etc.), qui l'obligent à payer droits féodaux et droits seigneuriaux. Les textes disparus, il se croit quitte de tout impôt.
4. Chiffre de concentration très inquiétant pour l'époque.

Ce texte de Froissart évoque la « grande misère du royaume de France » à la fin du XIVe siècle. La guerre de Cent Ans multiplie les destructions dans les campagnes. Le Roi ne cesse de lever des impôts nouveaux. Les seigneurs aussi ont besoin d'argent, pour payer leurs rançons. Une grande épidémie de peste a décimé, de 1347 à 1349, la population des campagnes : un homme sur trois est mort. La colère des paysans s'exprime dans des révoltes spontanées, où se déchaînent les pires violences. Froissart, chroniqueur de cour, condamne évidemment ces révoltes; mais il leur donne une explication.

— La révolte est lente à exploser... Elle gagne les terroirs de proche en proche, de village en village. On imagine les clochers sonnant le tocsin, pour appeler les paysans à la Jacquerie. Les régions énumérées dans le texte sont très localisées : elles affectent le nord et le nord-est de la région parisienne, de la Brie au Beauvaisis.

— Le chroniqueur insiste : la révolte est « sans chefs ». Il s'agit d'un mouvement spontané. Encore ne concerne-t-elle pas toute la population. Froissart veut en limiter les effets : « certaines gens », dit-il. Il veut réduire l'événement à un mouvement anarchique, inorganisé.

— Les « cent hommes » qui se révoltent s'en prennent tout de suite aux nobles. Froissart, curieusement, leur prête des motifs assez élevés. Les paysans ne se lèvent pas pour protester contre la misère et les impôts (ce qui serait dangereux pour le Roi) mais pour des raisons en quelque sorte morales : les nobles « déshonoraient et trahissaient le royaume ». Rien n'est dit contre le Roi ou ses représentants. Froissart évoque l'attitude de certains nobles pendant la guerre de Cent Ans. Ils faisaient la guerre mollement; ou, quand ils s'y donnaient avec courage, ils faisaient, comme à Azincourt, la preuve de leur incapacité. Or la société du Moyen Age est construite sur le principe de la hiérarchie sociale : les nobles doivent leurs « privilèges » à la mission de défense du royaume qu'ils doivent assumer. Qu'ils se dérobent à leur devoir, les paysans ne sont plus tenus au respect. Froissart explique donc la révolte du point de vue de la déchéance militaire et morale de la noblesse. C'est un point de vue qui convient assez bien à un serviteur du Roi.

— S'il explique les raisons de la révolte, Froissart en condamne les excès. Il insiste sur tous les aspects de la Jacquerie, particulièrement sur le massacre des enfants. Si le Roi n'a pas lui-même trop d'estime pour sa noblesse, du moins a-t-il le devoir de faire régner l'ordre et d'empêcher les massacres. Froissart montre les dangers de la temporisation : partis à cent, les paysans sont bientôt six mille. Il faut les arrêter avant qu'il ne soit trop tard.

Ce texte d'histoire réunit plusieurs témoignages de la Grande Jacquerie à laquelle il restitue sa véritable dimension historique : une protestation des campagnes contre la guerre, la noblesse, les levées d'hommes et d'impôts.

Le 28 mai 1358 éclate la révolte de la Jacquerie. Elle naît de la misère paysanne et de la haine qu'inspire une noblesse orgueilleuse qui vient de prouver son incapacité militaire. Partie du Beauvaisis, la Jacquerie s'étend à toute l'Ile de France; surtout au nord de la Seine : « Plusieurs menus gens de Beauvaisis, des villes de Saint-Leu-d'Esserent, de Nointel, de Cramoisy et d'environ, s'émurent et s'assemblèrent par mouvement mauvais et coururent sur plusieurs gentilshommes qui étaient dans la dite ville de Saint-Leu et en tuèrent neuf. Et cela fait, mus par un mauvais esprit, allèrent par le pays et chaque jour croissaient en nombre et tuaient tous gentilshommes et gentilles femmes qu'ils trouvaient et plusieurs enfants. »

Au long des cinquante années précédentes on compte plus de vingt ans de famine, et l'hiver de 1357 a été particulièrement rude : « On vit des pères tuer leurs enfants. On vit des malheureux détacher les corps suspendus au gibet pour se nourrir. » Mais la révolte paysanne est avant tout une explosion de haine sociale contre la noblesse. Même Froissart, si suspect en matière de parti pris de caste, se fait l'écho du mépris des paysans pour les nobles : « Les voilà, ces beaux fils qui aiment mieux porter perles et pierreries sur leur chapeau, riche orfèvrerie à leur ceinture et plume d'autruche au chapeau que glaive ou lance au poing. Ils ont bien su dépenser en de telles vanités notre argent levé sans couleur de guerre, mais pour férir sous les Anglais, ils ne savent mie. » Dirigée contre cette aristocratie dégénérée, la révolte

Peint. par Jacqs Callot Cum Privil. Reg.

A la fin ces Voleurs infames et perdus,
Comme fruicts malheureux a cet arbre pendus

Monstrent bien que le crime (horrible et noire engeance)
Est luy mesma instrument de honte et de vengeance,

Et que c'est le Destin des hommes vicieux
Desprouuer tost ou tard la iustice des Cieux.

CL. GIRAUDON

J. Callot : Misères de la Guerre.

ne s'en prend pas au roi, et elle épargnera les maisons royales de la Malmaison et de Villers-Cotterêts.

Le mouvement paysan prendra rapidement une grande ampleur. Les Jacques se livrent aux pires violences : « Ils abattaient et brûlaient toutes maisons de gentilhomme qu'ils trouvaient et firent un capitaine que l'on appelait Guillaume Carle. Et allèrent à Compiègne, mais ceux de la ville les y laissèrent entrer. Et depuis allèrent à Senlis et firent tant que ceux de la dite ville allèrent en leur compagnie ». Ils s'emparent ainsi de villes comme Senlis ou Meaux, mais très vite suscitent la méfiance de l'Église et de la Bourgeoisie. Étienne Marcel ne pourra s'entendre avec eux. A Abbeville, le conseil de la ville refuse d'écouter Jean de la Mare qui veut s'allier avec eux et le fait exécuter. Dès lors, les paysans se trouvent isolés. La réaction des nobles sera à la mesure de leur épouvante, et la répression dépassera en brutalité les excès des paysans. Charles le Mauvais prendra la tête de la noblesse et parviendra le 13 juin 1358, à écraser les bandes paysannes près de Clermont-de-l'Oise. Guillaume Carle, fait prisonnier à la suite d'une trahison, sera supplicié, ceint d'une couronne, assis sur un trône chauffé au rouge. La terreur s'abattra sans frein sur les paysans : « Les gentilshommes tuaient tout ce qu'ils pouvaient trouver qui avait été de la compagnie des Jacques, et, à la Saint-Jean-Baptiste ils en avaient tué 20 000 et plus. »

Nouvelle Histoire de France, éd. Tallandier.

— Où la noblesse française a-t-elle prouvé son « incapacité militaire »? Pour quelles raisons? Quelles étaient les causes de la supériorité militaire anglaise pendant la guerre de Cent Ans?

— Pourquoi les révoltés s'en prennent-ils à la noblesse? Est-ce seulement par mépris pour son infortune sur les champs de bataille? L'extrait de Froissart oppose la misère paysanne au luxe déployé par les nobles. Ne s'agit-il pas en réalité d'une « guerre sociale »?

— Pourquoi les « Jacques » épargnent-ils le Roi?

— Les paysans tentent de rallier à leur cause les bourgeois et le peuple des villes. Leurs intérêts sont-ils communs? Comment s'expliquent les réticences des bourgeois? Pourquoi la « méfiance » de l'Église?

— Les nobles répriment la Jacquerie avec acharnement. Comment s'explique cette cruauté?

— Le Roi n'intervient dans cette affaire, ni contre les paysans, ni en leur faveur lors de la réaction nobiliaire. Se désintéresse-t-il de la Jacquerie? Pouvez-vous expliquer l'attitude de la monarchie?

● Le peuple et les guerres d'Italie

Autre protestation, autre révolte, contre la guerre, celle du poète du « Monde qui est crucifié », poète anonyme protestant contre les impôts et pillages pendant le règne de François Ier. Les brillantes guerres d'Italie n'étaient du goût ni des paysans, ni des bourgeois.

Nourrir me faut les piétons et gendarmes
Lâches garçons, rien de[1] vaillant aux armes,
Coquins, pendards, de Dieu blasphémateurs.
En ma maison ils vous trouvent gros termes
Et quand entendent trompette aux allermes[2]
Ils vont fuyant comme chiens de pasteurs.
Qu'ils soient ainsi, ce ne sont que vanteurs[3]
Bien l'ont montré au pays d'Italie;
A dire vrai, ce ne sont que menteurs,
Pillards, larrons, de tous maux inventeurs.
A temps présent chacun me crucifie.

Je ne me puis plus tenir de parler
Et de jeter pleurs et soupirs par l'air,
En me plaignant continuellement
Des crève-cœur qu'on me fait avaler;
Car on me vient tailler et retailler[4]
Taille sur taille, c'est fait cruellement.

---

1. Guère vaillants.
2. Aux alarmes.
3. Vantards.
4. La taille, l'impôt du roi.

A tout le moins si, valeureusement,
On employait avant que dépouiller
Je porterais le faix [1] légèrement,
Mais tout s'en va très malheureusement.
A temps présent chacun me crucifie.

MONTAIGLON, *Recueil de Poésies françaises*, T. XII.

● **Misère des campagnes**

> Au xve et au xvie siècles, nombre de bourgeois tiennent
> un journal quotidien, un « livre de raisons » où ils
> racontent les événements de leur temps. Le Journal de
> Pierre de l'Estoile est un des plus vivants. Il raconte ici
> la révolte des paysans de Guyenne. Nous sommes en
> 1577. En 1579, il évoque succinctement la « Ligue de
> l'Équité » constituée par les paysans du Dauphiné et
> d'Auvergne. Ici et là, les paysans ne veulent plus des
> guerres.
>
> Il s'agit cette fois des guerres de religion.

Le Vendredi 1er jour de Mars, le roi étant à Blois [2],
assembla jusqu'au nombre de vingt trois hommes de
son privé conseil [3], avec la reine sa mère, pour leur
faire entendre ce que Monsieur le Duc de Montpensier
avait rapporté revenant de Guyenne, c'est à savoir
que les pauvres gens des champs à centaines se
venaient par les chemins prosterner et jeter à genoux
devant lui, le suppliant très humblement, si le roi
voulait continuer la guerre, qu'il lui plût leur faire
d'abord couper la gorge, sans tant les faire languir,
et fût par les vingt trois conclu à l'entretènement ou
renouvellement de l'édit de pacification retranché.
A quoi le roi prêta fort l'oreille, et la reine fit lors
semblant d'y vouloir entendre. L'Ambassadeur du
duc Casimir [4] y était, qui demandait trois millions qui
étaient dus à son maître, ce qui y frappa un grand

---

1. Le fardeau.
2. Il s'agit de Henri III, roi de France depuis 1574.
3. Le conseil privé ou conseil royal se composait des conseillers les plus proches
de la personne du Roi, princes du sang et principaux personnages de la Cour.
4. Jean Casimir, duc de Pologne.

coup, et fut cause que M. de Biron fut dépêché à Leurs Majestés par-devers le roi de Navarre et les autres pour parler d'accord.

En Dauphiné et en Auvergne les paysans se soulèvent en 1579 :

Ligue de l'Équité. En ce mois, dans les pays du Dauphiné et d'Auvergne, se commença à remuer la ligue dite « de l'Équité », qui n'était autre chose, à bien parler, qu'une praguerie [1] ou élèvement d'une séditieuse commune contre le roi et sa noblesse.

Journal de l'Estoile, *Nouvelle Histoire de France*,
éd. Tallandier.

● **Le massacre de Sens**

Les populations ne comprenaient pas l'intérêt ni la valeur idéologique des guerres de religion. Les villes et les campagnes occupées par des soldats se soulevaient contre cette occupation, qu'elle fût catholique ou protestante. La coutume princière, venue d'Allemagne, selon laquelle les régions devaient avoir la religion de leurs princes, n'était pas toujours du goût des sujets. Ici le curé de Provins, Claude Haton, fait le récit du massacre des protestants à Sens (1562). Il faut noter que l'auteur de la chronique est catholique. Il rejette la responsabilité du massacre sur des étrangers à la ville. Mais effectivement, dans toute la France, à l'appel des curés, des bandes de catholiques armés parcouraient les villes pour empêcher les protestants de pratiquer leur culte comme ils en avaient le droit par l'édit de Saint-Germain (1562). C'est cet édit qui avait provoqué la révolte des catholiques. Dans les pays, comme Sens, où les protestants étaient en minorité, ils étaient aussitôt victimes de la « sédition ».

Cependant que le prédicateur catholique de Sens admonestait ses auditeurs à se donner garde d'être surpris et saccagés, en toute patience et modestie..., et que le ministre prédicant (Huguenot) enhardissait

---

1. Révolte à la mode de Prague (Jean Hus et les Hussistes).

et encourageait les siens à toute hostilité et saccage...,
en un instant, sans y penser, furent assaillis pendant
leurs prêches par des gens inconnus des villages et des
faubourgs, qui si vivement se ruèrent sur eux à coup
de pierre et de bâton, comme pieux de haie et leviers,
que les huguenots n'eurent pas le temps de mettre la
main à leurs pistoles et arquebuses les premiers. Lesquels furent surpris, n'ayant pas ce jour-là leur
capitaine gascon [1] et ses gens à leur garde, la mêlée
fut fort grande au désavantage du prédicant et de ses
audacieux huguenots qui en assez grand nombre
furent sur le champ tués et leur halle [2] abattue et
toute ruinée en moins d'une demi-heure, sans qu'il
y demeure bois entier couché ou debout; ce fait se
produisit pendant que les catholiques étaient au
sermon et messe de leur procession [3]; lesquels, en
revenant de cette procession, virent la sédition qui
était en leur ville, les rues pleines de gens tout en
fureur, courant les uns sur les autres. Il advint que
les huguenots qui s'étaient sauvés de leur prêche par
la fuite, ayant bandé leurs pistoles et arquebuses, les
délâchèrent dans les rues sur les catholiques dont
certains furent blessés : ce qui provoqua une sédition
plus grave : car les catholiques, se voyant attaqués,
s'employèrent pour leur défense, et le reste de la
journée fut si furieux que dans Sens ne demeurat
nul huguenot que ceux qui eurent le moyen de se
bien celer et cacher; et était monsieur le huguenot
bien heureux qui pouvait gagner la maison de
quelque prêtre son ami pour s'y sauver. Le meurtre
fut grand parmi les huguenots, et il ne fut pardonné
qu'à ceux qu'on ne put avoir, sans distinction d'homme,
de femme, de prêtre, moine ou clerc. Mais il ne fut
point fait de mal à leurs petits enfants, excepté à
un qui... reçut le coup qu'on pensait donner à son père...

Le soir, arriva à la ville monsieur le Gascon, capitaine et garde des huguenots senonnais, revenant de

---

1. Les Gascons étaient militaires de carrière, naturellement mercenaires.
La Gascogne comptait en outre de nombreux protestants.
2. Les protestants n'étaient pas assez riches ni assez nombreux pour se construire des lieux de culte. A Sens, ils se réunissaient dans la halle.
3. L'auteur de la chronique insiste sur l'innocence des catholiques de Sens.

Troyes en Champagne, où il était allé voir les frères huguenots du dit lieu et conspirer avec eux. Sur le chemin, il avait été averti du massacre fait à ses sujets; lui et ses gens voulurent faire vengeance de leur ministre [1] et frères, ruant à grands coups de pistole et autres bâtons sur ceux qu'ils trouvèrent encore par les rues, sans s'enquérir qui ou quoi... Cependant, la nuit vint, qui imposa silence à la fureur, et le lendemain, dans la ville de Sens, il ne se trouva pas un homme, si audacieux ou hardi fût-il, qui s'osât présenter par les rues et dire qu'il fût huguenot.

Journal de l'Estoile, *op. cit.*

● Les impôts provoquent des émeutes

Les années 1560-1590 sont des années sombres pour la France. Les guerres de religion incessantes, la famine, la cherté des prix, l'invasion des villes par les mendiants, des campagnes par des bandes de brigands armées provoquent partout des émeutes, des révoltes, contre le roi, contre les marchands, contre la guerre, contre tout...

En 1575 à Marseille, les habitants attaquent le poste des douanes royales; à Bordeaux, c'est l'émeute. A Troyes, L'Estoile raconte la sédition des artisans de la ville contre les nouveaux impôts royaux... Nous sommes en 1586.

Le dit 28e jour de Juin, en la ville de Troyes en Champagne, fut émue une sédition populaire contre certains officiers et commissaires voulant à vive force exécuter un édit du roi de l'an 1578, dont le profit avait été donné à la reine de Navarre, et lequel même elle appelait son édit, provenant de la vente de quelques surnuméraires [2] maîtres de certains métiers qu'un huissier du grand conseil, à ce commis, exécutait d'une telle violence que s'adressant au premier artisan de chacun des dits métiers qu'il pouvait rencontrer, il le contraignait par emprison-

---

1. Le pasteur.
2. En surnombre. Le nombre des maîtres des corporations était limité, fixé par règlement.

nement à acheter une lettre du roi de cet état. Ce que ne pouvant supporter, les artisans coururent sus aux officiers exécuteurs de ce bel édit, et fut l'huissier du conseil, principal commissaire, par le peuple mutiné, outragé et blessé de plusieurs coups, ayant été trouvé caché en la mangeoire d'une étable, où pour cuider sauver sa vie, nomma tout plein de gens de la ville de Troyes qui se mêlaient de telle maltôte [1] dont furent chargés Raguin, Bernot et un argentier, desquels les maisons furent pillées et saccagées et tous les papiers qu'on y trouva rompus et brûlés. Et fallut pour apaiser la sédition qui continua jusques au 30 de ce mois, que tous les bourgeois prissent les armes, où il y eut conflit si âpre des deux côtés qu'il y en eut de tués de part et d'autre plus de quarante ou cinquante, et fut le dit huissier en ce tumulte tué et massacré.

Journal de l'Estoile, *op. cit.*

● Sacrilège à Paris

Nicolas Versoris, bourgeois de Paris, est fort hostile aux doctrines luthériennes. Avisé de ce qui se passe en Allemagne, il craint que les mêmes « égarements » se répandent en France. La profanation d'un lieu saint, premier symptôme de la révolte religieuse, lui fournit l'occasion d'une chronique très hostile aux réformés. Nicolas Versoris est avocat de son métier.

En ce temps, non seulement en la ville de Paris, mais partout ailleurs se trouvaient certains qui secrètement tenaient la secte luthérienne, mais, quand ils venaient en lumière [2], ils étaient étroitement punis. Et le mercredi 3e jour de Juin 1528, pendant la nuit de jeudi, quelqu'un, que l'on croyait luthérien, brisa et coupa les têtes de Notre-Dame et de son Fils, à cause de quoi le peuple fut fort indigné de l'injure faite à l'image et représentation de la belle Dame; et le roi, séjournant alors à Fontainebleau, fut averti

---

1. Mauvaise affaire.
2. Le chroniqueur suggère que les réformés se réunissaient dans les caves, ou la nuit.

du forfait. Fort ennuyé, il envoya six jours plus tard, qui était le samedi, M. le chancelier de France, cardinal, accompagné du prévôt de Paris, annoncer à la cour que le roi entendait que, en diligence, recherche fût faite du délinquant et qu'une très âpre punition lui serait faite et, pour activer les recherches, il promit de bailler à celui qui voudrait le notifier la somme de mille écus soleil et, si celui qui avait commis le forfait déplaisant de son fait, voulait s'accuser en justice et faire connaître ses complices et compagnons, qu'il aurait la dite somme... Le mercredi, dixième jour du dit mois veille de la Fête-Dieu, l'université de Paris [1], de nombreux notables et une grande Assemblée accompagnée de quatre à cinq cents petits écoliers de moins de douze ans, allèrent tous en procession au lieu où était l'image qui se trouvait dans la rue du Petit-Saint-Antoine, au logis de M. de Harlay, bourgeois de Paris, où se trouvait un autel tendu et paré et là chaque enfant présenta son cierge allumé en admirable dévotion; lesquels furent reçus et autres offrandes par le curé ou vicaire de Saint-Gervais, car la situation est de la paroisse. Il n'est mémoire avoir vu université mieux assemblée ni en plus grande dévotion. Le lendemain jour du Saint-Sacrement, le roi, logé aux Tournelles, y alla en procession et y fut porter le corps de Notre Seigneur, et le roi y fit son oraison. Le lendemain, qui était un vendredi, eurent lieu des processions générales pour cette cause, et les processions passèrent devant l'image sous laquelle était dressé un riche autel paré, près duquel se trouvait un triomphant oratoire auquel pour parvenir il fallait monter cinq degrés; les processions passées, le roi, marchant à la fin, monta en grande révérence jusqu'à l'oratoire et présenta, en place de l'image brisée, une Notre-Dame en argent pour y demeurer à perpétuité. La réparation fut fort solennelle. Six ou sept jours après, le bruit courut à Paris qu'elle avait fait quelque miracle sur un enfant mort-né.

Journal de Nicolas Versoris.

---

1. L'université de Paris est alors entièrement entre les mains de l'Église catholique.

● **Les révoltes d'Allemagne**

> Dans ce texte, Nicolas Versoris note les informations
> qu'il a recueillies sur les révoltes de paysans en Alle-
> magne, en 1522 et 1523. Remarquons qu'il attribue à
> Martin Luther l'unique responsabilité de ces révoltes,
> ce qui est très contestable. Elles étaient d'abord des
> jacqueries, que Luther hésitait à reconnaître comme des
> entreprises religieuses.

Est noté pour perpétuelle mémoire que... par un
vendredi, jour de la Saint-Mathias, un grand nombre
d'Allemands, suivant, comme ils disaient, le parti du
sacrilège et hérétique Luther, s'assemblèrent en grand
nombre, environ 100 000 hommes, tous gens de
petite condition, bien décidés d'aller à leur aventure
prendre, dérober, détruire et piller tout ce qu'ils
pourraient trouver, en alléguant que tous les biens
du monde étaient communs et que nul homme ne
devait être supérieur à un autre et qu'il ne devait y
avoir ni noble ni seigneur, exception faite pour un
empereur sous la conduite duquel le monde devait
être gouverné. Le Duc de Lorraine, averti que telle
peste et multitude de gens enragés étaient décidés
de venir d'abord assaillir sa terre puis, de là, de
descendre en France, pour soumettre celle-ci à leur
pouvoir, décida de résister au danger. Pour cette
raison, vers le début du mois de mai, manda en
diligence et assembla un certain nombre de bons
combattants et lui-même en personne défit quelque
22 000 hommes des dits Allemands, le reste prenant
la fuite et les champs.

Journal de Nicolas Versoris.

● **Je veux peindre la France une mère affligée**

> Les protestants français ont eu, avec *Les Tragiques*
> d'Agrippa d'Aubigné, l'épopée de leur révolte. Né en
> 1552, Agrippa est le fils de Jean d'Aubigné; il a fait ses
> études à Genève et à Lyon, foyers calvinistes. Il a

combattu très jeune avec les protestants. Échappant par miracle à la Saint-Barthélemy, il est devenu compagnon d'Henri de Navarre, le futur Henri IV. Blessé à Castel-jaloux, il a commencé à écrire *Les Tragiques*, œuvre d'un poète-soldat.

Le passage suivant sacrifie à la mode des allégories de l'époque : la France est une mère affligée et ses enfants se déchirent...

Je veux peindre la France une mère affligée,
Qui est entre ses bras de deux enfants chargée.
Le plus fort, orgueilleux, empoigne les deux bouts
Des tétins nourriciers; puis, à force de coups
D'ongles, de poings, de pieds, il brise le partage [1]
Dont nature donnait à son besson [2] l'usage;
Ce voleur acharné, cet Esaü [3] malheureux,
Fait dégât du doux lait qui doit nourrir les deux.
Si que pour arracher à son frère la vie,
Il méprise la sienne et n'en a plus d'envie;
Lors son Jacob, pressé d'avoir jeûné meshui [4]
Ayant dompté longtemps en son cœur son ennui,
A la fin se défend, et sa juste colère
Rend à l'autre un combat dont le champ est la mère.

Agrippa D'AUBIGNÉ, *Les Tragiques*, Livre I, les
Misères.

---

1. La part.
2. Jumeau.
3. Esaü représente le fils catholique et Jacob, son frère protestant.
4. Aujourd'hui.

● CHAPITRE III

LE XVIIᵉ SIÈCLE

Le XVIIᵉ siècle est souvent appelé « siècle des Révolutions ». Les Pays-Bas, l'Angleterre, la France avec la Fronde connurent en effet des troubles graves. Mais dans tous les cas ces troubles provenaient de révoltes contre la naissance des États modernes qui bousculaient des habitudes et lésaient des intérêts.

L'ancien régime français était en effet constitué de deux traditions contradictoires : celle de l'*absolutisme royal*, qui tenait sa source du droit romain; celle du *privilège*, qui avait sa justification dans les principes de la féodalité.

Selon le droit coutumier, féodal, les privilèges avaient en effet une justification : l'Église, qui avait la charge des âmes, était nécessairement le premier ordre du royaume. Le roi, sacré à Reims, était le serviteur de Dieu, l'*oint* du seigneur. Il était aussi le suzerain suprême, celui à qui tous les autres seigneurs rendaient l'hommage. Mais en revanche, le roi reconnaissait au clergé et aux seigneurs vassaux les « privilèges » attachés à leurs ordres. Le clergé devait être honoré et protégé. Il avait droit de rendre justice, de lever des impôts, de posséder des biens. Les nobles avaient pour mission de défendre le royaume. En revanche ils avaient reçu les fiefs, c'est-à-dire la terre, avec les hommes qui l'habitaient et la cultivaient. Le seigneur n'avait d'autre fonction que la défense.

Il avait le privilège de recevoir en échange corvées, droits seigneuriaux ou banalités, droits féodaux portant sur la terre. Tel était, en gros, le vieux système féodal.

Il est évident que, par leurs droits de justice et de finance, clergé et nobles retiraient au roi de son autorité. Ils ne pouvaient exercer leurs privilèges qu'aux dépens de l'administration royale.

La contradiction avait longtemps été surmontée par une sorte d'équilibre des pouvoirs entre les grands et la monarchie. Le roi de France n'avait pas les moyens d'installer dans les provinces une autorité omniprésente, incontestable; il devait s'en remettre aux seigneurs. Depuis le développement des nations modernes, au xvıe siècle, ceux-ci étaient conscients de l'intérêt qu'ils avaient à se rassembler autour du roi de France pour former un vaste et puissant royaume. Ceux d'entre eux qui trahissaient s'en repentaient ou disparaissaient. La trahison du connétable de Bourbon sous François Iᵉʳ avait été le dernier et fort édifiant épisode de cette indépendance, désormais considérée comme coupable, des grands envers le roi de France.

Les guerres de religion du xvıe siècle avaient bouleversé cet équilibre. Les grands, séparés du roi pour des questions religieuses, avaient repris leur indépendance, se groupant entre eux en ligues armées, faisant des alliances avec l'étranger; ils suivaient du reste en cela l'exemple du roi lui-même, qui n'hésitait pas à s'allier, contre les protestants, aux plus traditionnels ennemis du royaume : l'Espagne et la Maison d'Autriche. De nouveau la monarchie devait compter avec le pouvoir privilégial. L'État moderne n'était pas né.

Au xvııe siècle, l'État moderne était absolutiste. Il ne pouvait affirmer dans tout le royaume l'universalité de la loi et de la justice du roi qu'en brisant les privilèges. Mais pour cela, il fallait abattre les privilégiés. L'œuvre de Louis XIV, la domestication de la noblesse, devait poursuivre celle de Richelieu et de Mazarin : la décapitation de la résistance seigneuriale, qu'elle fût protestante ou non.

Cette intransigeance du pouvoir royal, affirmée tout au long du siècle, devait provoquer en son début des révoltes nobiliaires d'une vaste ampleur, dangereuses dans la mesure où elles disposaient d'un soutien populaire. Le peuple, pour des raisons fiscales pouvait en effet, surtout dans les villes, soutenir les « frondeurs », ceux qui contestaient l'absolutisme royal.

Mais ces révoltes une fois calmées, les excès de l'absolutisme, les levées excessives d'impôts rendues nécessaires par les guerres impérialistes de Louis XIV en Europe devaient provoquer de nouvelles jacqueries rurales, et, dans l'opinion éclairée, une aristocratique protestation contre la mauvaise gestion du royaume. La « lettre au roi » de Fénelon est en effet le premier texte inspiré par ce type de contestation. L'absolutisme royal a été défendu dans son principe par Bossuet. Le Prince est le « berger du troupeau » humain. Mais que devient le troupeau si le Prince est un mauvais berger? Cette question posée par Fénelon à la fin du XVIIᵉ siècle devait incontestablement dominer le siècle français des Lumières.

● La Fronde : naissance d'une appellation

La première grande révolte du XVIIᵉ siècle français est la *Fronde*. La révolte dure de 1648 à 1653. Elle a pour origine un mécontentement fiscal du peuple parisien, et une rébellion contre le pouvoir royal du Parlement de Paris. C'est la « Fronde parlementaire ». La reine Anne d'Autriche, régente, et son ministre Mazarin, font arrêter le conseiller Broussel. Paris s'insurge. Le Parlement bafoue la monarchie, demande le contrôle du budget. La famille royale s'enfuit à Saint-Germain.

Des privilégiés de la noblesse rejoignent alors les Parlementaires, contre « le Mazarin » : Conti, le duc de Longueville, le prince de Marcillac, les ducs de Beaufort et de Bouillon. C'est la « Fronde des Princes ». Le cardinal de Retz est du parti des « Frondeurs ». En province la révolte a gagné Rouen, Angers, la Provence et la Guyenne. Mazarin doit tenir tête sur tous les fronts, mollement soutenu par Condé. La guerre fait rage dans toute la France. Condé passe à l'ennemi, demandant le départ de Mazarin. Mazarin, après avoir livré batailles sur batailles s'exile; mais il rentre bientôt en France en 1652, à la tête d'une armée, pour soutenir, contre Condé, le roi devenu majeur. Paris, en révolution, s'apprête à soutenir un siège contre le Mazarin. « Point de rois! point de princes, vive la liberté! » crie-t-on dans les rues. C'est la

« Fronde populaire ». Le roi l'emporte enfin sur Condé et fait son entrée dans Paris. Il faut encore pacifier la province; mais, au total, en 1653, on peut considérer que la Fronde est terminée.

Paul de Gondi, cardinal de Retz (1613-1679) a joué dans cette crise un rôle de premier plan, étant chef de parti ou de « faction ». Dans ses *Mémoires*, il a raconté le début de la crise :

Quand le parlement [1] commença à s'assembler pour les affaires publiques, M. le duc d'Orléans et Monsieur le Prince y vinrent assez souvent... et y adoucirent même quelquefois les esprits. Ce calme n'y était que par intervalles. La chaleur revenait au bout de deux jours, et l'on s'assemblait avec la même ardeur que le premier moment. Bachaumont s'avisa de dire un jour, en badinant, que le parlement faisait comme les écoliers qui *frondent* [2] dans les fossés de Paris, qui se séparent dès qu'ils voient le lieutenant civil et qui se rassemblent dès qu'il ne paraît plus. Cette comparaison, qui fut trouvée assez plaisante, fut célébrée par les chansons, et elle refleurit particulièrement lorsque, la paix étant faite entre le roi et le parlement, l'on trouva lieu de l'appliquer à la faction particulière de ceux qui ne s'étaient pas accommodés avec la cour. Nous y donnâmes nous-mêmes assez de cours, parce que nous remarquâmes que cette distinction de noms échauffe les esprits. Le Président de Bellièvre m'ayant dit que le premier président prenait avantage contre nous de ce quolibet, je lui fis voir un manuscrit de Sainte-Aldegonde, un des premiers fondateurs de la république de Hollande, où il était remarqué que, Brederode se fâchant de ce que, dans les premiers commencements de la révolte des Pays-Bas, l'on les appelât « Les gueux », le prince d'Orange, qui était l'âme de la faction [3], lui écrivit qu'il n'entendait pas son véritable intérêt, qu'il en devait être très aise

---

1. Il s'agit du Parlement de Paris, qui prétendait interdire à Mazarin la levée de nouveaux impôts.
2. Jettent des pierres avec une fronde. Les étudiants parisiens étaient, de tradition, fort turbulents.
3. Le parti de la rébellion.

et qu'il ne manquât pas, même, de faire mettre sur leurs manteaux de petits bissacs en broderie, en forme d'ordre. Nous résolûmes, dès ce soir-là, de prendre des cordons de chapeau qui eussent quelque forme de fronde. Un marchand affidé nous en fit une quantité, qu'il débita à une infinité de gens qui n'y entendaient aucune finesse. Nous n'en portâmes que les derniers, pour n'y point faire paraître d'affectation qui en eût gâté tout le mystère. L'effet que cette bagatelle fit est incroyable. Tout fut à la mode, le pain, les chapeaux, les canons, les manchons, les éventails, les garnitures; et nous fûmes nous-mêmes à la mode encore plus par sottise que par l'essentiel [1].

Mémoires du cardinal de Retz.

---

1. Retz, un des principaux frondeurs, est visiblement très satisfait de cette mode. Il est un des organisateurs de la « journée » des Barricades du 27 août 1648. La faveur populaire des « frondeurs » est un précieux soutien pour le coadjuteur de Paris, Paul de Gondi.

— Quels étaient les griefs du Parlement contre la Monarchie? Quelle est l'attitude du cardinal de Retz dans ce conflit : est-il pour la Cour ou pour les Parlementaires? Cherchez dans l'expression les signes qui trahissent son point de vue... Le cardinal prend-il très au sérieux la « chaleur » et l'« ardeur » des Parlementaires?

— Retz est-il de ceux qui « ne se sont pas accommodés avec la Cour? » Ceux-là sont les vrais frondeurs. Pourquoi le cardinal trouve-t-il très opportun d'accepter l'épithète?

— « Nous y donnâmes nous-mêmes assez de cours »... Dans cette phrase, le cardinal intervient de nouveau dans le récit. Quels sont ses sentiments? Pourquoi encourager la sédition? Pourquoi rechercher les moyens de la faire connaître dans le plus large public? Retz est-il partisan d'une « fronde » limitée aux seuls Parlementaires?

— L'exemple des Pays-Bas cité par Retz est-il convaincant? Pourquoi le cite-t-il? Pourquoi est-il significatif qu'il admire, et donne à admirer, un « prince » prenant le parti et jusqu'à l'insigne des « gueux »?

— Le « marchand affidé » implique une organisation, une opération de publicité montée par Retz et ses amis.

Dans quel but? Pourquoi est-il important de vendre l'insigne de la Fronde « à une infinité de gens qui n'y entendaient aucune finesse »?

— Le cardinal affecte un certain mépris pour la « mode ». Mais n'est-il pas fier d'être à l'origine de l'opération? Recherchez les expressions qui l'indiquent.

— Que concluez-vous, d'après ce texte, sur le caractère du cardinal de Retz?

● Colères populaires

De 1643 à 1648, pendant les années qui précèdent la Fronde, les provinces se soulèvent contre la perception de la taille. Il y a de véritables révoltes en Bretagne, dans le Sud-Ouest, en Auvergne. Le gouvernement royal est impuissant devant la généralisation des troubles. Il doit consentir à des remises de taille, c'est-à-dire s'exposer à voir son autorité bafouée.

Ces rapports d'intendants font état des troubles divers. Responsables dans les provinces de la levée des impôts, les intendants écrivaient au conseil royal pour le mettre au courant de la situation.

2 Mars 1643. — ... A Issoire, ils ont jeté les commis [1] dans une chaudière pleine de chaux vive où les corroyeurs jettent leurs peaux de bœuf en poil pour les peler, et dont ces pauvres commis sont sortis à demi bouillis, puis une sédition s'est ensuivie, dans laquelle un exempt [2] a reçu plus de vingt blessures; le mal empire dans les élections [3] de Clermont, de Brioude, Aurillac... On fait des rebellions de toutes parts, je suis sans autorité et sans force pour y remédier... Il y a des curés qui ont publié dans leurs prônes que l'on ne paye pas de subsistance ni d'arrérages de tailles [4], dont un est entre les mains de MM. de la

1. Les commis des taxes : ce sont les employés chargés de lever l'impôt dans les pays d'élections. On appelle ainsi les provinces où l'élu ou électeur est chargé de la levée de la taille dans le cadre d'une circonscription territoriale appelée élection.
2. Autre employé des impôts royaux.
3. Circonscriptions de la taille, impôt direct royal.
4. Les arrérages sont les impôts qui n'ont pas été payés dans le passé et que les électeurs veulent récupérer.

cour des Aides [1] qui court fortune d'être traité trop doucement; M. l'Évêque de Clermont s'étant fait son protecteur et faisant solliciter pour lui.

Correspondance des intendants avec le chancelier Seguier, Nouvelle Histoire de France, éd. Tallandier.

De Muret, 10 février 1643. — ... Une sédition pour les tailles est arrivée à Villefrange-en-Rouergue; je n'ose pas quitter l'élection de Comminges de peur que, le dos tourné, les cinq élections de Gascogne, qui sont les plus séditieuses, qui obéissent et payent le moins, ne fassent de même. [...]

Je ne vois dans cette province que désordres et manquements de toutes parts, et à peine trouvé-je un officier qui fasse bien sa charge ni un commis qui n'abuse de ses fonctions.

Ibid.

[...].

12 Février 1643. — ... A Saumur, on a voulu chasser les commis des taxes; tout est calme présentement, et cela n'a servi qu'à faire mieux payer les droits. [...].

2 Mars 1643. — ... Tous les jours on craint rebellion à Bordeaux, à Blaye... Les seuls mots « sol pour livre » [2] mettent les peuples en fureur, et je ne sache point de remède pour empêcher le mal que l'extinction du droit... Cette année, la seule élection de Bordeaux porte plus, je dis plus d'un million de livres de toutes tailles, et le droit du « sol pour livre », se prenant sur toutes menues denrées, afflige par son poids tout ce qu'il y a de monde [...].

Dans l'élection de Brioude, pour les tirer de misère, il faudrait, outre les années 1638 et 1639, leur faire remise de 1640 et 1641 au moins; sans cela ils restent chargés de quatre années (1640-1643), et en voici

---

1. La Cour des Aides, section du Parlement de Paris, et les Cours des Aides des Parlements de province étaient compétentes pour tous procès concernant les questions fiscales.
2. Une livre tournois = 240 deniers. Un sou = 12 deniers. Donc 1 livre = 20 sous. Demander un sou d'impôt par livre équivalait à lever un impôt de 20 %.

une cinquième qui va en accroître le faix (1644),
de sorte que, ne pouvant en aucune sorte y satisfaire,
ils ne peuvent revenir du désordre où ils sont, et
l'avenir en augmentera toujours le mal; si on nous
eût permis d'accorder aux plus ruinés ou décharge
ou surséance de 1640 et 1641, ils se seraient rétablis,
et en acquittant ces deux années (1642 et 1643), ils
auraient pu satisfaire à leur cote pour l'avenir. Cette
remise irait au moins à 15 000 livres, mais ce qu'on ne
fera pas aujourd'hui par remise et grâce, il le faudra
faire dans six mois par nécessité, et ce remède à
tard n'aura pas retiré ces paroisses du désordre et
ne leur aidera pas pour leur rétablissement. Or je
crois, monseigneur, être obligé de m'en expliquer
ainsi par la connaissance de la province.

Correspondance des intendants avec le chancelier
Séguier, op. cit.

● **Émeute parisienne**

> Le cardinal de Retz avait lui-même préparé la journée
> du 4 juillet 1652, où le peuple de Paris s'était livré à des
> excès à l'Hôtel de Ville, massacrant des Parlementaires.
> Retz jouait un jeu subtil et compliqué entre Mazarin,
> qu'il appuyait parfois contre les Princes, le Parlement de
> Paris et les grands seigneurs, ses rivaux. Ces différentes
> « factions » se servaient du mécontentement populaire
> pour semer le trouble, faire dresser des barricades, pous-
> ser le gouvernement royal aux provocations. Ici Retz
> peint hypocritement la journée de l'Hôtel de Ville, fei-
> gnant de désapprouver les excès populaires qu'il a contri-
> bué à provoquer.

Comme la sédition avait commencé vers la place
Dauphine [1], par des poignées de paille que l'on
forçait tous les passants de mettre à leur chapeau,
M. de Cumont, conseiller au Parlement et serviteur
particulier de Monsieur le Prince, qui y avait été
obligé comme les autres qui avaient passé par là,

---

1. L'actuelle place Dauphine, non loin du Louvre, devant le Pont-Neuf.

alla en grande diligence à Luxembourg pour en avertir Monsieur et le supplier d'empêcher que Monsieur le Prince, qui était dans la galerie, ne sortit dans cette émotion, « laquelle apparemment, dit Cumont à Monsieur, est faite ou par les mazarins [1] ou par le cardinal de Retz, pour faire périr M. le Prince ». Monsieur courut aussitôt après Monsieur son cousin, qui descendait le petit escalier pour monter en carrosse, et pour venir chez moi et y exécuter son dessein. Il le retint par autorité et il le mena ensuite à l'Hôtel de Ville, où l'assemblée dont je vous ai parlé se devait tenir; ils en sortirent après qu'ils eurent remercié la Compagnie et témoigné la nécessité qu'il y avait de songer aux moyens de se défendre contre le Mazarin. La vue d'un trompette qui arriva, dans ce temps-là, de la part du Roi, et qui porta ordre de remettre l'assemblée à huitaine échauffa le peuple, qui était dans la grève [2] et qui criait sans cesse qu'il fallait que la ville s'unit avec MM. les Princes. Quelques officiers, que M. le Prince avait mêlés le matin, dans la populace, n'ayant point reçu l'ordre qu'ils attendaient, ne purent employer sa fougue; elle se déchargea sur l'objet le plus présent.

L'on tira dans les fenêtres de l'Hôtel de Ville; l'on mit le feu aux portes, l'on entra dedans l'épée à la main; l'on massacra M. le Gras, maître des requêtes, M. Janvri, conseiller au Parlement, M. Miron, maître des Comptes, un des hommes de bien et des plus accrédités dans le peuple qui fussent à Paris. Vingt-cinq ou trente bourgeois y périrent aussi; et M. le Maréchal de l'Hospital ne fut tiré de ce péril que par un miracle, et par le secours de M. le Président Barentin. Un garçon de Paris, appelé Noblet, duquel je vous ai déjà parlé à propos de ce qui m'arriva avec M. de la Rochefoucauld dans le parquet des huissiers, eut encore le bonheur de servir utilement le maréchal en cette occasion. Vous vous pouvez imaginer l'effet que le feu de l'Hôtel de Ville et le sang qui y fut répandu produisirent dans Paris. La consternation d'abord

---

1. Les gens du parti du cardinal.
2. La place de grève, actuelle place de l'Hôtel-de-Ville.

y fut générale ; toutes les boutiques y furent fermées en moins d'un clin d'œil. L'on demeura quelque temps en cet état, l'on se réveilla un peu vers les six heures, en quelques quartiers, où l'on fit des barricades pour arrêter les séditieux qui se dissipèrent toutefois presque d'eux-mêmes. Il est vrai que Mademoiselle y contribua : elle alla elle-même, accompagnée de M. de Beaufort, à la grève, où elle en trouva encore quelques restes, qu'elle écarta. Ces misérables [1] n'avaient pas rendu tant de respect au saint sacrement que le curé de Saint-Jean leur présenta, pour les obliger d'éteindre le feu qu'ils avaient mis aux portes de l'Hôtel de Ville.

Cardinal DE RETZ, *Mémoires*.

_____

1. Retz affecte de condamner les excès populaires, qui cependant servent sa cause.

— Dans la première partie du texte, Retz entretient à dessein la confusion. La foule massée devant l'Hôtel de Ville, place de grève, est en révolte. Des agitateurs à la solde des Princes sont prêts à lancer des mots d'ordre, pour faire de la révolte une révolution. Les bourgeois de Paris sont à l'Hôtel de Ville. Le Quartier général des Princes est au Luxembourg. Mais l'accord ne se fait pas entre les Princes et les Bourgeois. Ils n'encouragent pas le mouvement populaire qu'ils ont cependant, comme l'indique clairement Retz, contribué à susciter. Dès lors la colère de la foule se trouve sans objet. Elle va se reporter sur l'Hôtel de ville. L'arrivée d'un trompette envoyé par le Roi met le feu aux poudres. Le peuple a l'impression que les privilégiés s'entendent dans son dos.

— Dans la deuxième partie du texte, Retz raconte, avec quelque hypocrisie, quelles furent les victimes de la « journée » : les bourgeois de Paris et les Parlementaires, qu'il n'estime pas plus, politiquement, que la « populace ». Victimes aveugles, qui sont tuées sans raison. Retz indique que les meilleurs meurent les premiers comme ce M. Miron, « maître des comptes, un des hommes de bien et des plus accrédités dans le peuple qui fussent à Paris ».

— Les « séditieux » font régner la terreur dans Paris. Mais l'émeute ne dégénère pas en révolution. Retz indique que, si l'on dresse dans certains quartiers des barricades, c'est pour se protéger contre les factieux. Il semble estimer que l'incendie de l'Hôtel de Ville a fait plus de mal que de bien à la cause révolutionnaire, en inspirant la peur de la révolution. On voit, à la fin du texte la « grande Mademoiselle », une des têtes de la « Fronde des Princes », qui écarte, place de grève, les « misérables ». Retz, au comble de l'indignation, montre les factieux indifférents au sentiment religieux. La conclusion est claire : pour éviter les troubles anarchiques dans la capitale, le Roi doit s'en remettre aux gens d'ordre estimés des bourgeois et de tous les « bons » parisiens. Parmi ces « gens d'ordre », le cardinal, coadjuteur de Paris, ne s'estime pas mal placé. Il est du côté des princes, mais se flatte volontiers d'avoir l'oreille du peuple.

● **Pamphlets contre Mazarin**

Ces extraits de pamphlets contre « le Mazarin » donnent le ton de la rébellion. Le peuple de Paris commit à maintes reprises des violences contre les gens de la Cour et du Cardinal, mais aussi contre les officiers royaux et les Parlementaires. La Fronde est moins une révolution qu'une série de révoltes, et celles des Parisiens gênaient les Princes plus qu'elles ne les servaient.

Que faut-il faire pour chasser Mazarin du pays, pour rétablir un gouvernement légitime, pour donner le pouvoir à Orléans [1] qui nous protégera contre les traitants et ne « mettra point notre sang à l'enchère pour en faire engraisser le plus offrant ou le dernier enchérisseur ? » Devrons-nous, pauvre peuple, rester à regarder la haute politique se développer loin de notre influence ? Est-ce nécessaire que nous demeurions muets jusqu'à l'éternité, nous résignant à l'injustice monstrueuse qui nous accable et nous anéantit ? « Soulevons-nous, promptement, sortons de nos gîtes, de nos tanières, quittons nos foyers, faisons voltiger

---

1. Le duc d'Orléans est un des chefs de la Fronde des Princes.

nos vieux drapeaux, battons nos caisses, alarmons tous les quartiers..., tuons, saccageons, brisons, sacrifions à notre juste vengeance » tout ce qui nous est ennemi ! Voyons enfin « que les grands ne sont grands que parce que nous les portons sur nos épaules », il ne tient qu'à nous de nous engraisser du sang de nos tyrans ! Chassons Mazarin ! Et si les Espagnols nous aident, tant mieux ! nous n'avons peur de rien, nous ne considérons ni le passé ni l'avenir, nous accepterons avec joie les armées des turcs, des cafres [1], des malabares [2], des anthropophages, « pourvu qu'ils ne viennent qu'à dessein de conspirer avec nous la perte de ce perturbateur de notre repos ». Nous faut-il de l'argent ? « les deniers publics sont à nous. Ils ne sont donnés que pour la conservation de nous-mêmes et de la société ». Faisons comme les habitants de Londres, sortons de la ville avec des milliers de bourgeois [3], chassons les troupes de Mazarin, et ramenons le roi chez nous !

Nouvelle Histoire de France, éd. Tallandier.

● Chant de guerre des montagnards du Vivarais

Louis XIV régnant ne connut pas de nouvelle fronde. Mais la guerre, les impôts, les excès de l'administration royale provoquèrent, à partir de 1664, des révoltes paysannes dans toutes les provinces, qui ne devaient guère cesser jusqu'à la fin du règne. Aux paysans en colère se mêlaient des nobles déçus par la politique royale, des seigneurs locaux devenus chefs de bande. En 1665 le roi décida de réunir, pour arrêter ces révoltes, des tribunaux extraordinaires : les « grands jours ». Ceux d'Auvergne sont célèbres.

Les révoltes les plus graves eurent lieu à Laval, dans l'élection de Clermont-Ferrand, dans le Poitou, à Bourges,

---

1. On appelle cafres, indistinctement, les habitants de l'Afrique noire au XVIIe siècle.
2. Habitants de la côte occidentale des Indes.
3. Les Anglais ont fait leur révolution et exécuté le roi Charles Ier. Les Princes ont protesté contre ces violences, mais le peuple parisien brûle visiblement de les imiter.

à Bordeaux. Mais il y eut aussi des troubles en Béarn, en Vivarais, en Guyenne et en Bretagne. Les impôts étaient toujours la source de la révolte, et parfois le roi levait de nouveaux impôts à dessein, pour provoquer la révolte et l'écraser à coup sûr. Il agit ainsi dans le Boulonnais en 1662. Le désir de Louis XIV était d'imposer à tout le royaume la même loi et la même autorité. Il brisa les révoltes avec la dernière violence.

Ce texte évoque les grandes révoltes du Vivarais en 1670.

Depuis tantôt cinq ou six ans
L'avarice des partisans [1]
Traitants, sous-traitants, gens d'affaires
Race à notre bonheur contraire,
Pillait avec impunité...
Assez de faim, assez de larmes,
Du sang, paysan, prends tes armes,
Sus aux vautours, aux gabelous [2];
Il faut hurler avec les loups;
Sur les Vampires de l'Ardèche
Ton hoyau, ton pic et ta bêche
A leur tour percevront l'impôt.
Hardi les gars ! Point de repos !
Pour protéger notre provende,
Là-bas sur le mas de la Rande,
Flotte le guidon vivarais [3]
Dieu garde Roure et les Rourois.

in Bruhat, *Histoire du mouvement ouvrier français*,
Éditions Sociales.

● **Misère des paysans**

Ce texte très dur dans sa concision, est du moraliste La Bruyère. Il dit, plus qu'aucun rapport d'intendant, mieux que nulle chronique rurale, la grande misère des paysans de France sous le règne de Louis XIV. Il explique puissamment leurs révoltes.

---

1. Ce sont les financiers de La Bruyère, qui lèvent l'impôt au nom du roi, les PTS.
2. Les officiers chargés de lever l'impôt sur le sel ou gabelle.
3. Le guidon : l'étendard.

L'on voit certains animaux farouches, des mâles et des femelles répandus par la campagne, noirs, livides, et tout brûlés du soleil, attachés à la terre qu'ils fouillent et qu'ils remuent avec une opiniâtreté invincible : ils ont comme une voix articulée, et, quand ils se lèvent sur leurs pieds, ils montrent une face humaine; et en effet ils sont des hommes. Ils se retirent la nuit dans des tanières, où ils vivent de pain noir, d'eau et de racines : ils épargnent aux autres hommes la peine de semer, de labourer et de recueillir pour vivre, et méritent ainsi de ne pas manquer de ce pain qu'ils ont semé.

LA BRUYÈRE, *Les Caractères*, chap. XI, de l'Homme.

● **Lettre à Louis XIV (Fénelon)**

> La « Lettre au Roi » de Fénelon est le premier texte littéraire faisant en France le procès de l'autorité royale. Au siècle où Bossuet développait la théorie de l'absolutisme royal, un autre prélat, Fénelon, mettait en question, non pas la nature divine de ce pouvoir, mais les modalités de son exercice. Il posait déjà la question de savoir s'il ne convenait pas d'éclairer sinon de limiter le roi dans l'exercice de sa souveraineté. Fénelon exprimait ainsi le mécontentement du peuple las de la guerre et des taxes, mais aussi celui des élites, qui se demandaient jusqu'où la politique de prestige du grand roi allait mener la France.
>
> Cette lettre est de 1694. Louis XIV va régner encore près de 20 ans. Elle n'était pas, en fait, destinée au roi. Fénelon voulait montrer à Madame de Maintenon, qui avait sa confiance, comment il aurait été bon de parler au roi. Ancien précepteur du duc de Bourgogne, il était directeur de Madame de Maintenon.

Vous êtes né, Sire, avec un cœur droit et équitable; mais ceux qui vous ont élevé ne vous ont donné pour science de gouverner que la défiance, la jalousie, l'éloignement de la vertu, la crainte de tout mérite éclatant, le goût des hommes souples et rampants, la hauteur et l'attention à votre seul intérêt.

Depuis environ trente ans, vos principaux ministres ont ébranlé et renversé toutes les anciennes maximes de l'État [1] pour faire monter jusqu'au comble votre autorité, qui était devenue la leur parce qu'elle était dans leurs mains. On n'a plus parlé de l'État ni des règles [2]; on n'a parlé que du Roi et de son bon plaisir [3]. On a poussé vos revenus et vos dépenses à l'infini. On vous a élevé jusqu'au Ciel, pour avoir effacé, disait-on, la grandeur de tous vos prédécesseurs ensemble, c'est-à-dire pour avoir appauvri la France entière, afin d'introduire à la cour un luxe monstrueux et incurable. Ils ont voulu vous élever sur les ruines de toutes les conditions de l'État, comme si vous pouviez être grand en ruinant tous vos sujets, sur qui votre grandeur est fondée. Il est vrai que vous avez été jaloux de l'autorité, peut-être même trop, dans les choses extérieures; mais pour le fond, chaque ministre a été le maître dans l'étendue de son administration. Vous avez cru gouverner, parce que vous avez réglé les limites entre ceux qui gouvernaient. Ils ont bien montré au public leur puissance et on ne l'a que trop sentie. Ils ont été durs, hautains, injustes, violents, de mauvaise foi. Ils n'ont connu d'autre règle, ni pour l'administration du dedans de l'État, ni pour les négociations étrangères, que de menacer, que d'écraser, que d'anéantir tout ce qui leur résistait. Ils ne vous ont parlé que pour écarter de vous tout mérite qui pouvait leur faire ombrage. Ils vous ont accoutumé à recevoir sans cesse des louanges outrées qui vont jusqu'à l'idolâtrie, et que vous auriez dû, pour votre honneur, rejeter avec indignation. On a rendu votre nom odieux, et toute la nation française insupportable à tous nos voisins. On n'a conservé aucun allié, parce qu'on n'a voulu que des esclaves. On a causé depuis plus de vingt ans des guerres

---

1. Les anciennes maximes : celles de la monarchie féodale, respectueuse des privilèges; celle de la monarchie aux temps modernes, respectueuse des « franchises » des villes et des nouvelles provinces. L'édification de l'État devait balayer ces survivances et ces tolérances.
2. Les règles : les traditions.
3. La théorie du « bon plaisir » est empruntée au droit romain : « quicquid principi placuit legis habet valorem » : « tout ce qui a plu au Prince aura valeur de loi ».

sanglantes. Par exemple, Sire, on fit entreprendre à votre Majesté, en 1672, la guerre de Hollande pour votre gloire et pour punir les Hollandais, qui avaient fait quelque raillerie, dans le chagrin où on les avait mis en troublant les règles de commerce établies par le Cardinal de Richelieu. Je cite en particulier cette guerre, parce qu'elle a été la source de toutes les autres. Elle n'a eu pour fondement qu'un motif de gloire et de vengeance, ce qui ne peut jamais rendre une guerre juste; d'où il s'ensuit que toutes les frontières que vous avez étendues par cette guerre sont injustement acquises dans l'origine. Il est vrai, Sire, que les traités de paix subséquents semblent couvrir et réparer cette injustice, puisqu'ils vous ont donné les places conquises; mais une guerre injuste n'en est pas moins injuste, pour être heureuse. Les traités de paix signés par les vaincus ne sont point signés librement. On signe le couteau sur la gorge; on signe malgré soi, pour éviter de plus grandes pertes; on signe comme on donne sa bourse quand il la faut donner ou mourir. Il faut donc, Sire, remonter jusqu'à cette origine de la guerre de Hollande, pour examiner devant Dieu toutes vos conquêtes...

En voilà assez, Sire, pour reconnaître que vous avez passé votre vie entière hors du chemin de la vérité et de la justice, et par conséquent hors de celui de l'Évangile [1]. Tant de troubles affreux qui ont désolé toute l'Europe depuis plus de vingt ans, tant de sang répandu, tant de scandales commis, tant de provinces saccagées, tant de villes et de villages mis en cendres, sont les funestes suites de cette guerre de 1672, entreprise pour votre gloire et pour la confusion des faiseurs de gazettes et de médailles de Hollande [2]...

Cependant vos peuples, que vous devriez aimer comme vos enfants, et qui ont été jusqu'ici si passionnés pour vous, meurent de faim. La culture des terres est presque abandonnée, les villes et la cam-

---

1. Ce grief est nouveau : pour Bossuet la volonté du roi ne pouvait en aucun cas être différente de celle de Dieu. Si l'on suit Fénelon, il faut admettre qu'il peut y avoir de mauvais princes. Ceci conduit à contester la théorie du pouvoir absolu.
2. Le ton est déjà celui de Voltaire.

pagne se dépeuplent; tous les métiers languissent et ne nourrissent plus les ouvriers. Tout commerce est anéanti. Par conséquent vous avez détruit la moitié des forces réelles du dedans de votre État, pour faire et pour défendre de vaines conquêtes au dehors. Au lieu de tirer de l'argent de ce pauvre peuple, il faudrait lui faire l'aumône et le nourrir. La France entière n'est plus qu'un grand hôpital désolé et sans provision. Les magistrats sont avilis et épuisés. La noblesse, dont tout le bien est en décret [1], ne vit que de lettres d'État. Vous êtes importuné de la foule des gens qui demandent et qui murmurent. C'est vous-même, Sire, qui vous êtes attiré tous ces embarras; car, tout le royaume ayant été ruiné, vous avez tout entre vos mains, et personne ne peut plus vivre que de vos dons. Voilà ce grand royaume si florissant sous un roi qu'on nous dépeint tous les jours comme les délices du peuple, et qui le serait en effet si les conseils flatteurs ne l'avaient point empoisonné.

Le peuple même (il faut tout dire), qui vous a tant aimé, qui a eu tant de confiance en vous, commence à perdre l'amitié, la confiance, et même le respect. Vos victoires et vos conquêtes ne le réjouissent plus; il est plein d'aigreur et de désespoir. La sédition s'allume peu à peu de toutes parts. Ils croient que vous n'avez aucune pitié de leurs maux, que vous n'aimez que votre autorité et votre gloire. Si le Roi, dit-on, avait un cœur de père pour son peuple, ne mettrait-il pas plutôt sa gloire à leur donner du pain, et à les faire respirer après tant de maux, qu'à garder quelques places de la frontière, qui causent la guerre? Quelle réponse à cela Sire? Les émotions populaires, qui étaient inconnues depuis si longtemps, deviennent fréquentes. Paris même, si près de vous, n'en est pas exempt. Les magistrats sont contraints de tolérer l'insolence des mutins, et de faire couler sous main quelque monnaie pour les apaiser; ainsi on paye ceux qu'il faudrait punir. Vous êtes réduit à la honteuse et déplorable extrémité, ou de laisser la sédition impunie et de l'accroître par cette impunité, ou de

---

1. Leur fortune dépend des « décrets », des décisions du roi.

faire massacrer avec inhumanité des peuples que vous mettez au désespoir en leur arrachant, par vos impôts pour cette guerre, le pain qu'ils tâchent de gagner à la sueur de leurs visages.

Mais pendant qu'ils manquent de pain, vous manquez vous-même d'argent[1], et vous ne voulez pas voir l'extrémité où vous êtes réduit. Parce que vous avez été toujours heureux, vous ne pouvez vous imaginer que vous cessiez jamais de l'être. Vous craignez d'ouvrir les yeux ; vous craignez d'être réduit à rabattre quelque chose de votre gloire. Cette gloire, qui endurcit votre cœur, vous est plus chère que la justice, que votre propre repos, que la conservation de vos peuples, qui périssent tous les jours de maladies causées par la famine, enfin que votre salut éternel incompatible avec cette idole[2] de gloire.

Voilà, Sire, l'état où vous êtes. Vous vivez comme ayant un bandeau fatal sur les yeux ; vous vous flattez sur les succès journaliers, qui ne décident rien, et vous n'envisagez point d'une vue générale le gros des affaires, qui tombe insensiblement sans ressource. Pendant que vous prenez, dans un rude combat, le champ de bataille et le canon de l'ennemi, pendant que vous forcez les places, vous ne songez pas que vous combattez sur un terrain qui s'enfonce sous vos pieds, et que vous allez tomber malgré vos victoires...

Mais Dieu saura bien enfin lever le voile qui vous couvre les yeux, et vous montrer ce que vous évitez de voir. Il y a longtemps qu'il tient son bras levé sur vous ; mais il est lent à vous frapper, parce qu'il a pitié d'un prince qui a été toute sa vie obsédé de flatteurs[3], et parce que, d'ailleurs, vos ennemis sont aussi les siens[4]. Mais il saura bien séparer sa cause

---

1. Critique du système fiscal de Louis XIV. Celui-ci épargne les privilégiés, c'est-à-dire les riches. Un système fiscal qui ne fait payer que les pauvres n'est pas rentable.

2. Simulacre.

3. Critique des courtisans, reprise de La Bruyère et de La Fontaine. Un des grands thèmes des moralistes du siècle.

4. Particulièrement les Hollandais, qui sont protestants. Fénelon est évidemment hostile à l'Europe non catholique de la Réforme contre laquelle lutte constamment Louis XIV.

juste d'avec la vôtre, qui ne l'est pas, et vous humilier pour vous convertir; car vous ne serez chrétien que dans l'humiliation. Vous n'aimez point Dieu, vous ne le craignez même que d'une crainte d'esclave. C'est l'enfer, et non pas Dieu, que vous craignez. Votre religion ne consiste qu'en superstitions, en petites pratiques superficielles. Vous êtes comme les Juifs, dont Dieu dit : PENDANT QU'ILS M'HONORENT DES LÈVRES, LEUR CŒUR EST LOIN DE MOI. Vous êtes scrupuleux sur des bagatelles et endurci sur les maux terribles. Vous n'aimez que votre gloire et votre commodité. Vous rapportez tout à vous, comme si vous étiez le Dieu de la terre, et que tout le reste n'eût été créé que pour vous être sacrifié. C'est au contraire, vous que Dieu n'a mis au monde que pour votre peuple [1]. Mais hélas ! vous ne comprenez point ces vérités; comment les goûteriez-vous? Vous ne connaissez point Dieu, vous ne l'aimez point, vous ne le priez point du cœur, et vous ne faites rien pour le connaître [2].

FÉNELON, *Lettre à Louis XIV.*

---

1. Fénelon inverse la théorie de Bossuet : le roi est comptable devant Dieu, mais responsable de son peuple.
2. Fénelon vient d'être compromis par la querelle du piétisme, qui s'est soldée par l'intervention de la justice royale contre ces « déviationnistes » de la foi catholique.

● CHAPITRE IV

LE XVIIIᵉ SIÈCLE

Le XVIIIᵉ siècle est très profondément celui de la révolte ;
en cela il ne fait que confirmer et approfondir ce qui s'annonçait déjà, nous l'avons vu, à la fin du siècle précédent. D'une
certaine manière la littérature, avec La Bruyère et Fénelon,
mais aussi avec La Fontaine et Molière, annonçait l'avènement du *Siècle des Lumières*.

Révolte, en premier lieu, de la raison humaine contre l'autorité, de la « raison critique » contre le dogme. La Réforme
était la première manifestation de cette raison critique. Elle
devait recevoir une justification théorique et philosophique
avec le *Traité théologico-politique* de Spinoza, et aussi avec
l'*Éthique*, qui faisait apparaître la croyance, donc la foi,
comme une forme d'intelligence « du second genre ». Dès lors
se trouvait inauguré le chemin difficile de l'esprit humain vers
la conquête de son indépendance. A la fin du siècle, la *Critique
de la raison pure* (1781) d'Emmanuel Kant fixait les bornes,
les formes, les modalités d'investigation de l'esprit humain,
en réputant inconnaissables, ineffables, les questions de foi,
et notamment celles qui concernent Dieu. Il distinguait ainsi,
dans la connaissance, la part de l'homme et celle de Dieu ;
il ne mêlait plus les notions. Descartes, qui voulait faire « table
rase » de tout ce qui s'était pensé avant lui avait besoin du

« malin génie » et de l'existence de Dieu pour expliquer les théorèmes de la géométrie. Kant désormais s'en passait. La *Raison pure* n'avait pas besoin de l'existence divine pour raisonner : la philosophie se distinguait radicalement de la théologie. La raison avait enfin droit de cité. Elle avait une existence propre; elle était décolonisée.

Les conséquences de cette révolte de la philosophie contre la théologie faisaient déjà, en 1781, partie de l'histoire. Les démêlés de la raison scientifique avec les Facultés de Théologie sont l'histoire de la Renaissance, celle de Kepler et de Galilée. La révolte des « humanistes » contre le dogme romain est également l'histoire du XVIᵉ siècle. L'Église elle-même, depuis, a fait son auto-critique. Il reste que dans la vie quotidienne, une bataille est encore à mener contre l'intolérance au nom de la révolte de la raison. Cette bataille est celle de Voltaire, des Encyclopédistes, des Francs-Maçons contre « l'infâme ». Elle est celle de Mozart, qui, avec la *Flûte enchantée*, produit en pleine Europe réactionnaire le premier opéra maçonnique, et fait chanter, dans *Don Juan*, à Prague, un hymne à la Liberté.

Deuxième révolte : contre l'arbitraire. Si la *Raison pure* conteste le dogme et l'autorité du dogme, la *Raison pratique*, la raison politique va contester les « règles » couramment admises de gouvernement des hommes. La théorie de la monarchie absolue, de l'absolutisme royal, élaborée au XVIIᵉ siècle, devient la cible de la pensée critique. Tous les Philosophes s'acharnent à en montrer les limites, les dangers, l'injustice. S'appuyant sur l'analyse, faite déjà par Fénelon, de la politique intérieure et extérieure du grand règne, les Philosophes montrent l'inanité des guerres, les absurdités de la centralisation, mettent en question la concentration des pouvoirs, ce qu'ils appellent le « despotisme ministériel ». Ils demandent de plus en plus fort un régime où la *Loi* soit reconnue comme supérieure au *Roi*, où la « constitution » fasse du pouvoir royal un simple exécutif contrôlé. Ils ne demandent pas un régime parlementaire, où les gouvernements seraient responsables devant un Parlement élu. Ils se contentent d'un régime constitutionnel, qui fixe à l'action du pouvoir royal des limites raisonnables.

Cette revendication a bien pour origine la révolte de la raison contre l'arbitraire qui se manifeste quotidiennement : arbitraire d'un pouvoir qui fixe unilatéralement l'impôt, sans discussion possible; qui décide souverainement du sort des provinces sans les consulter; qui lance le pays dans la guerre, et conclut des paix désastreuses sans encourir de reproches; qui ne reconnaît à la justice aucune indépendance puisque toute la justice « vient du roi », comme toute loi.

Il s'agit d'une révolte fondamentale : désormais, après l'action des Philosophes, la nature théocratique du pouvoir se trouve contestée : le roi ne doit pas tirer sa souveraineté de Dieu et ne rendre compte qu'à Dieu seul. Puisque l'expérience montre qu'il peut être un mauvais berger, le troupeau des sujets est en droit d'exiger des garanties et une participation de contrôle dans le fonctionnement de l'État. La théorie de Montesquieu dans *L'Esprit des Lois* vise à organiser les modalités de ce contrôle. La théorie du *Contrat social* de Rousseau tend à donner au contrôle un fondement rationnel plus profond : si le contrôle est indispensable, c'est qu'il n'est de pouvoir souverain qu'issu du *consensus* populaire. Tout pouvoir venu de Dieu est un pouvoir illégitime. On atteint le point de rupture : la mise en question de l'ordre social, de la nature de la société. Pour Rousseau, il n'est de société que civile. Pour Bossuet, il n'était de cité que la cité de Dieu.

D'où la troisième forme de révolte philosophique : celle qui s'insurge contre la société elle-même, celle des ordres, des devoirs, de la hiérarchie héritée du Moyen Age. Il ne suffit pas de contester le pouvoir politique; il faut encore mettre en question le fondement de l'ordre social, qui est injuste : injuste la propriété, dit Rousseau, et, sous la Révolution, Gracchus Babœuf. Injuste la hiérarchie des ordres, disent le Figaro de Beaumarchais et le pamphlet du Tiers État. Injuste la prééminence du clergé. Il se peut que le peuple ait besoin de Dieu; qu'il ait des ministres payés par l'État, la raison y souscrit. Mais elle n'admet pas que cet ordre l'emporte sur les autres, et constitue dans le royaume le premier ordre privilégié. Les services que l'homme peut attendre de la société sont mis sur un pied d'égalité : un prêtre égale un juge, un juge égale un ministre, un ministre égale un philosophe.

On voit comment la triple révolte des *Lumières* a pu conduire à la Révolution : tous les chemins mènent à Rome. Le premier, celui de la tolérance, militait pour la liberté d'expression, d'opinion, de croyance. Il passe par les campagnes célèbres de Voltaire, par l'action militante des Encyclopédistes. Il exprime la volonté des Protestants et des Juifs de devenir des sujets du roi à part entière.

Le deuxième s'insurge contre les excès de la centralisation monarchique, contre la modernité du nouvel État issu du siècle de Louis XIV qui, dans son souci d'efficacité, fait litière de l'opinion des « sujets » du roi et leur impose sans contrôle des charges qu'ils refusent. Ce deuxième chemin est fréquenté par tous ceux qui se plaignent des impôts, des guerres et de la justice royale; c'est-à-dire par la majorité des Français. Mais il est aussi bien encombré par tous ceux qui, privilégiés par l'ordre social, s'estiment victimes de la centralisation royale : les seigneurs et Parlementaires de province par exemple, les vieilles forces politiques de la Fronde, resurgies du passé au XVIIIe siècle, devant la carence de l'administration monarchique.

Enfin la troisième force de la révolte est essentiellement populaire : elle est constituée par tous ceux qui protestent contre le privilège : bourgeois, paysans, compagnons des villes, en un mot le *Tiers État*, qui exige de plus en plus fort l'abolition des ordres et la constitution d'une société égalitaire, où les chances de chacun soient sauvegardées.

Aux formes traditionnelles de la révolte, jacqueries, émeutes urbaines, rébellions des Parlementaires privilégiés, vont donc s'ajouter au XVIIIe siècle des formes plus élaborées : la révolte acquiert un contenu idéologique; elle est grosse de la révolution. Avec la littérature engagée, elle laisse également un témoignage durable, elle devient un genre, une catégorie de l'expression littéraire.

● La révolte intellectuelle

Auteur de *La Crise de la conscience européenne*, Paul Hazard a étudié les modalités de la révolte intellectuelle contre le dogme et la hiérarchie, révolte qui commence dans la philosophie du Grand Siècle, pour aboutir à la littérature engagée du XVIIIe. Il se place ici sur le terrain philosophique, où la raison livre combat contre ses adversaires.

[Au dix-huitième siècle]. En apparence, le grand siècle se prolongeait dans sa majesté souveraine, et ceux qui se mêlaient de penser et d'écrire n'avaient plus qu'à reproduire les chefs-d'œuvre qui venaient à profusion. C'est à qui composerait des tragédies comme Racine, des comédies comme Molière, des fables comme La Fontaine. (...) Mais dans le *Tractatus theologico-politicus* et dans l'*Éthique* [1], dans l'*Essai contenant l'entendement humain* [2], dans l'*Histoire des variations des églises protestantes* [3], dans le *Dictionnaire historique et critique* [4], se livrait un débat au prix duquel ces préoccupations misérables semblaient n'être qu'un jeu de vieillards fatigués, ou d'enfants. Il s'agissait de savoir si on croirait ou si on ne croirait plus ; si on obéirait à la tradition ou si on se révolterait contre elle ; si l'humanité continuerait sa route en se fiant aux mêmes guides, ou si des chefs nouveaux lui feraient faire volte-face pour la conduire vers d'autres terres promises. Les « rationaux » et les « religionnaires », comme dit Pierre Bayle [5], se disputaient les âmes, et s'affrontaient dans un combat qui avait pour témoin l'Europe pensante.

Les assaillants l'emportaient peu à peu. L'hérésie n'était plus solitaire et cachée ; elle gagnait des disciples, devenait insolente et glorieuse. La négation ne se déguisait plus ; elle s'étalait. La raison n'était plus une sagesse équilibrée, mais une audace critique. Les notions les plus communément reçues, celle du consentement universel qui prouvait Dieu, celle des miracles étaient mises en doute. On reléguait le divin dans des cieux inconnus et impénétrables ; l'homme, et l'homme seul, devenait la mesure de toutes choses ; il était à lui-même sa raison d'être et sa fin.

Paul HAZARD, *La Crise de la conscience européenne*,
Préface, éd. Fayard.

● **Le prince et ses sujets**

> Montesquieu, magistrat, pense le problème du gouvernement des hommes, non plus comme Bossuet sous l'angle de la théologie, mais sous l'angle du droit civil.

---

1. Œuvres de Spinoza : 1632-1677.
2. Œuvre de Leibniz (1646-1716), philosophe né à Leipzig. Il critique le système de Descartes, particulièrement sa philosophie des Sciences.
3. Bossuet. Il répond dans cette œuvre à Leibniz.
4. Œuvre de Pierre Bayle.
5. Pierre Bayle : écrivain français 1647-1706. Un des maîtres des philosophes du XVIIIᵉ siècle.

Il pense contrats, accords, lois constitutionnelles, et, en définitive, constitution. Pour la première fois la guerre civile n'apparaît pas comme un raison suffisante de laisser en place un pouvoir absolu sans contrôle. Montesquieu prend ici le contre-pied de la pensée de Hobbes.

Hobbes écrit pendant la révolution d'Angleterre et sous la domination de Cromwell. La guerre civile a tellement terrorisé les Anglais qu'ils aspirent, après dix ans de malheurs, à une restauration du pouvoir absolu sous la domination des Stuarts. Hobbes pense qu'il n'est pas de calamité plus grande que la guerre civile, et que, pour s'en préserver il faut donner le pouvoir, d'un commun accord, à une dynastie qui exercera le pouvoir au nom de tous, mais sans contrôle. Parce que contrôle populaire veut dire élections, donc majorité et minorité, et par conséquent risque d'affrontement, Hobbes écarte le régime représentatif réputé dangereux. L'absolutisme lui paraît être le seul garant possible de la paix civile, car « l'homme est un loup pour l'homme » (*Leviathan*).

Montesquieu est de l'avis opposé. Les hommes ne sont pas méchants naturellement. Il est parfaitement possible de trouver la paix sociale à condition que tous s'engagent à respecter la loi. Il faut déplacer le centre de la souveraineté : elle appartient non à la personne du roi, mais à la Loi dont il est l'exécuteur et qui émane de la nation.

Si tel est le régime politique idéal, il va de soi que la crainte de la révolte ne doit pas suffire à l'écarter. Montesquieu juriste ne fait certes pas l'apologie de la révolte. Mais si celle-ci doit contribuer à modifier heureusement l'état de la société, Montesquieu parlementaire n'y est pas hostile par principe. La révolte est illégitime s'il y a contrat entre le Prince et la nation; elle l'est beaucoup moins si un tel contrat n'existe pas, du fait de la volonté du Prince.

Engagement du Prince et des Sujets.

Grotius [1] a dit que la rébellion des sujets n'est point une raison valable pour les exclure, par forme de

---

1. Jurisconsulte hollandais (1583-1645) auteur d'un code de droit international public.

dédommagement, des avantages d'une convention précédente, parce que le retour à l'obéissance efface l'injure. J'ajoute que cela ne pourrait avoir lieu que dans les contrats qui ne sont pas réciproques, et dans les cas où un Prince donnerait tout, sans recevoir rien. Sans cela, une des deux parties serait seule juge d'un engagement mutuel [1]; ce qui en détruirait la nature. D'ailleurs, cet engagement mutuel étant fait pour toujours durer, la punition d'un crime contre cet engagement n'en doit pas être la destruction.

MONTESQUIEU, Mes pensées.

C'est un principe bien faux que celui de Hobbes [2] : que, le Peuple ayant autorisé le Prince [3], les actions du Prince sont les actions du Peuple, et, par conséquent, le Peuple ne peut pas se plaindre du Prince ni lui demander aucun compte de ses actions [4] : parce que le Peuple ne peut pas se plaindre du Peuple. Ainsi Hobbes a oublié son principe du Droit naturel : « Pacta esse servanda ». Le Peuple a autorisé le Prince sous condition [5]; il l'a établi sous une convention. Il faut qu'il l'observe, et le Prince ne représente le Peuple que comme le Peuple a voulu ou est censé avoir voulu qu'il le représentât. (De plus, il est faux que celui qui est délégué ait autant de pouvoir que celui qui délègue [6], et qu'il ne dépende plus de lui.)

MONTESQUIEU, Mes pensées.

---

1. Ceci suppose qu'il y a engagement réciproque du roi et de ses sujets, donc, dans l'esprit de Montesquieu, constitution.
2. Philosophe anglais, auteur du *De Cive* et du *Leviathan*.
3. Cette « autorisation » qui fait du Prince l'*auctor* (le responsable) du corps social que Hobbes implicite. Le peuple n'est pas consulté. Il fait confiance naturellement à la dynastie, parce que la raison lui enseigne que c'est le seul moyen de maintenir la paix civile. Le *Leviathan* est un ouvrage qui fonde le pouvoir absolu sur la raison, et non sur le droit divin.
4. Hobbes écarte à priori ce genre de consultation. La loi est le roi.
5. Les traités doivent être observés. Montesquieu interprète à sa manière l'idée de contrat contenue dans Hobbes. D'un contrat implicite, il fait un contrat explicite. Le roi doit gouverner dans l'intérêt de son peuple; donc le peuple est fondé à lui demander des comptes.
6. Le pouvoir, c'est-à-dire la souveraineté, vient pour Montesquieu de la nation souveraine qui délègue ce pouvoir et non du roi qui est en somme le délégué de la nation. C'est la théorie de la monarchie constitutionnelle.

● Pour un gouvernement de type anglais

> Montesquieu tire ici les conséquences de la Lettre au Roi de Fénelon. Le peuple ne doit pas obéissance à un mauvais Prince. S'il n'a d'autre recours que la révolte, il ne faut point le condamner. La révolte n'est condamnable que si le peuple se révolte contre la Loi. Mais si le roi ne respecte pas la Loi, il se met à la merci des révoltés. Montesquieu, avec énergie, revendique ici un régime constitutionnel à l'anglaise.

Les Anglais peuvent demander sur la question s'il est permis de résister à la tyrannie : « Est-il plus utile au Genre humain que l'opinion de l'obéissance aveugle soit établie que celle qui borne la puissance, lorsqu'elle devient destructive [1]? »

Valait-il mieux que des villes florissantes fussent baignées dans le sang, que si Pisistrate avait été exilé? Denys chassé? Phalaris [2] dépouillé? Supposons, pour un moment, qu'un gouvernement cruel et destructeur se trouvât établi dans tout l'Univers, et qu'il ne subsistât pas par la force des tyrans, mais par une certaine crédulité et superstition populaire [3]. Si quelqu'un venait désabuser les hommes de cette superstition et leur apprendre des lois invariables et fondamentales [4], ne serait-il pas proprement le bienfaiteur du Genre humain? (...) Il n'y a pas de bon sens de vouloir que l'autorité du Prince soit sacrée, et que celle de la Loi ne le soit pas [5].

La guerre civile se fait lorsque les sujets résistent au Prince; la guerre civile se fait lorsque le Prince

---

1. Voir la *Lettre au Roi* de Fénelon. Les critiques contre la politique royale ont été bien plus vives encore sous Louis XIV, dont le règne a connu des guerres incessantes et de graves troubles économiques et financiers.
2. Tyrans célèbres de l'Antiquité.
3. C'est faire bon marché de Bossuet et de la théorie du roi, représentant de Dieu sur terre.
4. Il s'agit de lois constitutionnelles, que le roi doit respecter. C'est un Parlementaire qui parle.
5. Montesquieu veut désacraliser la personne du roi, qui doit être seulement le chef du pouvoir exécutif, et rendre au contraire « inviolable et sacrée » la constitution, c'est-à-dire la loi fondamentale de la nation.

fait violence à ses sujets : l'un et l'autre est une violence extérieure [1].

Mais, dira-t-on, on ne dispute pas le droit des peuples; mais les malheurs de la guerre civile sont si grands qu'il est plus utile de ne l'exercer jamais [2]. Comment peut-on dire cela? Les Princes sont mortels; la République [3] est éternelle. Leur empire est passager; l'obéissance de la République ne finit point. Il n'y a donc point de mal plus grand, et qui ait des suites plus funestes, que la tolérance d'une tyrannie, qui la perpétue dans l'avenir [4].

MONTESQUIEU, *Mes pensées.*

● Origines de l'inégalité sociale

Montesquieu se bornait à établir une nouvelle théorie du gouvernement des hommes; il ne mettait pas en question la société. Lui-même privilégié, il s'accommodait fort bien du privilège. La révolte, dans son esprit, n'était pas le fait du populaire, mais de l'élite de la nation, des plus aptes à faire la loi au nom de tous, les Parlementaires. Montesquieu deviendra l'auteur de chevet de tous ces Parlementaires bruyants et remuants du règne de Louis XVI qui vont préparer, par leurs rébellions incessantes, la grande révolution.

Rousseau va plus loin : son *Discours sur l'origine de l'inégalité* met en question la société elle-même : elle est injuste parce qu'elle a rendu l'homme méchant, possessif, dangereux. Le « bon sauvage » était sage et heureux. L'homme de société est malheureux et méchant. Il faut se révolter contre l'injustice sociale en obtenant pour le peuple souverain un certain nombre de garanties démocratiques : respect de la majorité, contrat social... La propriété est un mal; mais c'est un mal nécessaire;

---

1. Remarquez que Montesquieu ne condamne pas la révolte : il la constate. Elle est un fait de nature quand la Loi ne règle pas les rapports politiques des citoyens et du Prince.
2. Cette objection est celle de Hobbes : tout vaut mieux que la guerre civile.
3. Sens latin : la collectivité politique organisée, la « cité ».
4. Une tyrannie ne peut se concevoir, chez les Romains, que pour un temps exceptionnel. La « perpétuer dans l'avenir », c'est sortir de l'État de République.

> Rousseau n'est pas socialiste. Ce qui n'est pas nécessaire, c'est le privilège. Il faut établir une société égalitaire fondée sur le contrat entre le peuple, tout le peuple, et ceux qui gouvernent en son nom; les droits de chacun doivent être égaux, au politique comme au civil.

Le premier qui ayant enclos un terrain s'avisa de dire : ceci est à moi, et trouva des gens assez simples pour le croire, fut le vrai fondateur de la société civile [1]. Que de crimes, de guerres, de meurtres, que de misères et d'horreurs n'eût point épargnés au genre humain celui qui, arrachant les pieux ou comblant le fossé, eût crié à ses semblables : « Gardez-vous d'écouter cet imposteur; vous êtes perdus si vous oubliez que les fruits sont à tous, et que la terre n'est à personne ! » Mais il y a grande apparence qu'alors les choses en étaient déjà venues au point de ne pouvoir plus durer comme elles étaient; car cette idée de propriété, dépendant de beaucoup d'idées antérieures qui n'ont pu naître successivement, ne se forma pas tout d'un coup dans l'esprit humain : il fallut faire bien des progrès, acquérir bien de l'industrie et des lumières, les transmettre et les augmenter d'âge en âge, avant que d'arriver à ce dernier terme de l'état de nature. Reprenons donc les choses de plus haut, et tâchons de rassembler sous un seul point de vue cette lente succession d'événements et de connaissances dans leur ordre le plus naturel.

Tant que les hommes se contentèrent de leurs cabanes rustiques [2], tant qu'ils se bornèrent à coudre leurs habits de peaux avec des épines ou des arêtes, à se parer de plumes et de coquillages, à se peindre le corps de diverses couleurs, à perfectionner ou embellir leurs arcs et leurs flèches, à tailler avec des pierres tranchantes quelques canots de pêcheurs ou quelques grossiers instruments de musique; en un mot, tant qu'ils ne s'appliquèrent qu'à des ouvrages qu'un seul pouvait faire, et qu'à des arts qui n'avaient pas besoin

---

1. La société des citoyens vivant en communautés organisées, c'est-à-dire en États.
2. Le mythe du bon sauvage apparaît ici. A rapprocher des Indiens de Chateaubriand.

du concours de plusieurs mains ils vécurent libres, sains, bons et heureux autant qu'ils pouvaient l'être par leur nature et continuèrent à jouir entre eux des douceurs d'un commerce indépendant : mais dès l'instant qu'un homme eut besoin du secours d'un autre, dès qu'on s'aperçut qu'il était utile à un seul d'avoir des provisions pour deux, l'égalité disparut, la propriété s'introduisit, le travail devint nécessaire, et les vastes forêts se changèrent en des campagnes riantes qu'il fallut arroser de la sueur des hommes, et dans lesquelles on vit bientôt l'esclavage et la misère germer et croître avec les moissons [1].

J.-J. ROUSSEAU, *Discours sur l'origine de l'inégalité.*

---

1. Le progrès économique va de pair pour Rousseau avec l'exploitation des hommes. C'est une vue nouvelle chez les Philosophes. La révolte est légitime, quand elle a pour but d'établir entre eux l'égalité civile, donc de supprimer le privilège et l'esclavage.

— La célèbre formule qui ouvre cet extrait du *Discours sur l'origine de l'inégalité* apparaît comme une protestation. D'entrée de jeu, Rousseau se révolte contre la propriété. La fin de la phrase implique que cette révolte englobe toute la société, puisque la propriété en est le fondement. Remarquez que tout pourrait changer, si les gens n'étaient pas « assez simples pour le croire », s'ils pouvaient contester le droit de propriété lui-même.

— Rousseau corrige ensuite ce que sa première formule pouvait avoir de trop abrupt. Non, les choses ne se sont pas passées ainsi : un homme n'a pas « inventé » la propriété, et il ne suffit pas d'un discours raisonnable et sensible pour la faire disparaître. Rousseau suggère que l'idée de propriété vient au terme d'un long processus historique. Elle n'est pas née en un jour. Elle représente « le dernier terme de l'État de Nature ».

— La peinture de la société primitive, trouvant son bonheur dans la création, l'activité et l'égalité, correspond au mythe du « bon sauvage » que Rousseau, comme tant d'autres, nourrit et chérit au XVIIIe siècle. Notons que cette vision du « bon sauvage » correspond à une réalité historique douteuse. Comme ceux de Chateaubriand ou de Bernardin de Saint-Pierre, les « sauvages » de Rousseau ignorent les plaies habituelles du sous-développement, la misère, les mœurs brutales et homicides, les guerres et l'esclavage. A l'époque, l'Afrique et l'Asie sont inconnues. Les « sauvages », référence de toute une littérature, sont les Indiens d'Amérique du Nord, ceux que les blancs ont épargnés, et que l'on approche difficilement. Mais l'intérêt du texte est dans le raisonnement, et non dans son exactitude historique.

— Rousseau fait dépendre l'asservissement de l'homme du début de l'installation des collectivités humaines d'agriculteurs. Individuelle ou collective, la propriété du sol lui paraît être la source de tous les maux : elle implique la défense, donc la société militaire; le travail, donc l'esclavage; l'organisation, donc l'inégalité. La nécessité de stocker, puis l'intérêt et la spéculation acheminent les sociétés humaines vers le dernier stade de leur décadence, celui de la propriété individuelle, spoliation véritable. Rousseau annonce ici Proudhon : « la propriété, c'est le vol ». La protestation contre l'inégalité matérielle de la société peut faire apparaître Rousseau comme le précurseur de tous ceux qui mettront au XIXᵉ siècle l'égalité sociale en tête de leurs préoccupations. C'est pourquoi l'on a pu trouver chez Rousseau, non seulement une théorie de l'égalité civile, mais l'annonce de toute une pensée de révolte contre la société de l'appropriation et du profit, société qui n'existe pas encore, sous une forme juridiquement claire, à l'époque de Rousseau.

● Les causes de la révolte populaire

Ce texte de Louis-Sébastien Mercier, cité par Mornet dans son ouvrage sur les origines intellectuelles de la Révolution française analyse le processus de la révolte populaire :

1) La cause essentielle du mécontentement est l'arbitraire de l'administration royale dans la levée de l'impôt direct. N'oublions pas qu'à cette époque la taille n'est pas un impôt proportionnel à la richesse, au revenu, mais un impôt de répartition, dont le montant total est fixé chaque année par le roi selon ses besoins.

2) La cause secondaire est l'intransigeance des nobles qui sont, dit le texte, « oppresseurs ». Il faut sans doute entendre par là qu'ils n'ont pas renoncé à lever des impôts pour leur propre compte dans le cadre des rede-

vances féodales. On sait qu'à la fin du XVIIIe siècle, les
nobles paient des chartistes appelés *feudataires* qui
dépouillent les vieux contrats du Moyen Age pour relever
les droits féodaux. Cette « réaction nobiliaire » est particulièrement impopulaire dans les campagnes.

3) Le texte est de 1770. Cela suppose qu'à cette date
déjà, on songe à la révolte comme moyen de changer de
régime. L'appareil intellectuel du texte suggère que cette
révolte est raisonnée, réfléchie. Ce n'est plus une jacquerie.
Elle se donne comme fin de changer le fond des choses.

Voulez-vous connaître quels sont les principes
généraux qui règnent habituellement dans le conseil
d'un Monarque? Voilà à peu près le résultat de ce qui
s'y fait : « Il faut multiplier les impôts de toutes sortes
parce que le prince ne saurait jamais être assez riche
attendu qu'il est obligé d'entretenir des armées et
les officiers de sa maison qui doit être absolument
très magnifique. Si le peuple surchargé élève des
plaintes, le peuple aura tort, et il faudra le réprimer.
On ne saurait être injuste envers lui parce que, dans
le fond, il ne possède rien que sous la bonne volonté
du prince qui peut lui redemander en temps et lieu
ce qu'il a eu la bonté de lui laisser surtout lorsqu'il
en a besoin pour l'intérêt ou la splendeur de sa couronne. » Les nobles sont « méchants... cruels... oppresseurs » et n'ont conservé que des « préjugés barbares ».
A ce peuple esclave et pressuré il ne reste qu'une
ressource, celle de la révolte : « A certains États, il
est une période qui devient nécessaire : époque terrible,
sanglante, mais le signal de la liberté. C'est de la
guerre civile dont je parle. C'est là que s'élèvent tous
les grands hommes, les uns attaquant, les autres
défendant la liberté. La guerre civile déploie les talents
les plus cachés. Des hommes extraordinaires s'élèvent
et paraissent dignes de commander à des hommes.
C'est un remède affreux. Mais après la stupeur de
l'État, après l'engourdissement des armes, il devient
nécessaire. »

Louis-Sébastien MERCIER, *L'An deux mille quatre cent
quarante,* in *Les Origines intellectuelles de la Révolution
française* de Daniel MORNET, éd. Armand Colin.

● La Satire de Figaro

Né en 1732, Beaumarchais a exercé plusieurs métiers avant de devenir auteur dramatique. Aventurier étonnant, il connaît bien la Cour et son monde. Le *Mariage de Figaro* (1784) est une pièce à succès, où la satire sociale et politique atteignait une virulence qu'elle n'avait pas connue jusque-là. Cet extrait est le célèbre monologue de Figaro, barbier de son état. Il redoute que sa fiancée, Suzanne, ne le trompe avec son maître, le comte Almaviva.

Plusieurs centres d'intérêt dans ce texte très alerte :

1) La satire sociale : Figaro, homme de mérite et de talents, enrage de se voir préférer un grand seigneur qui le surclasse en prestige, du fait qu'il s'est « donné la peine de naître ».

2) La satire politique : Figaro journaliste et auteur dramatique a maille à partir avec la censure, qui lui cherche chicane. Il enrage de ne pouvoir s'exprimer librement. La Direction de la Librairie, sous l'ancien régime, surveillait en effet les ouvrages littéraires. Il existait une censure politique.

3) La difficulté qu'il y a pour un homme de mérite à se faire une place dans la société de son temps : Figaro n'y parvient que par des moyens cyniques. S'il réussit, ce n'est pas par son talent, qui est grand mais par son génie de l'intrigue. Cela lui paraît absurde.

FIGARO, seul, se promenant dans l'obscurité, dit du ton le plus sombre :

O femme ! femme ! femme ! créature faible et décevante !... nul animal créé ne peut manquer à son instinct : le tien est-il donc de tromper ?... Après m'avoir obstinément refusé quand je l'en pressais devant sa maîtresse; à l'instant qu'elle me donne sa parole, au milieu même de la cérémonie. Il riait en lisant, le perfide ! et moi comme un benêt... Non, monsieur le comte, vous ne l'aurez pas... vous ne l'aurez pas. Parce que vous êtes un grand seigneur, vous vous croyez un grand génie !... Noblesse, fortune, un rang, des places, tout cela rend si fier ! Qu'avez-vous fait pour tant de biens ? Vous vous êtes donné la peine de naître [1], et rien de plus. Du reste, homme assez ordinaire; tandis que moi, morbleu! perdu dans la foule obscure, il m'a fallu déployer plus de science et de calculs, pour subsister seulement, qu'on n'en a mis depuis cent ans à gouverner toutes les Espagnes : et vous voulez jouter [2]. On vient... c'est elle... ce n'est personne. — La nuit est noire en diable, et me voilà faisant le sot métier de mari, quoique je ne le sois qu'à moitié! (Il s'assied sur un banc) Est-il rien de plus bizarre que ma destinée? Fils de je ne sais pas qui, volé par des bandits, élevé dans leurs mœurs, je m'en dégoûte et veux courir une carrière honnête; et partout je suis repoussé! J'apprends la chimie, la pharmacie, la chirurgie [3]; et tout le crédit d'un grand seigneur peut à peine me mettre à la main une lancette vétérinaire! — Las d'attrister des bêtes malades, et pour faire un métier contraire, je me jette à corps perdu dans le théâtre; me fussé-je mis une pierre au cou! Je broche une comédie dans les mœurs du sérail. Auteur espagnol, je crois pouvoir y fronder Mahomet sans scrupule : à l'instant un envoyé... de je ne sais où se plaint que j'offense dans mes vers la Sublime-Porte [4], la Perse, une partie de la presqu'île de l'Inde, toute l'Égypte, les royaumes de Barca, de Tripoli, de Tunis, d'Alger et de Maroc : et voilà une comédie flambée, pour plaire aux princes maho-métans, dont pas un, je crois, ne sait lire, et qui nous meurtrissent l'omoplate en nous disant : *CHIENS DE CHRÉTIENS*! — Ne pouvant avilir l'esprit, on se venge en le maltraitant. — Mes joues creusaient, mon terme était échu : je voyais de loin arriver l'affreux recors [5], la plume fichée dans sa perruque : en frémis-sant je m'évertue. Il s'élève une question sur la nature des richesses; et comme il n'est pas nécessaire de tenir les choses pour en raisonner, n'ayant pas un sou, j'écris sur la valeur de l'argent et sur son produit

---

1. Formule qui fit immédiatement fortune et attira à Beaumarchais quelques ennuis à la Cour.
2. Rivaliser.
3. Les barbiers, sous l'ancien régime, étaient souvent dans les campagnes en même temps apothicaires, vétérinaires, chirurgiens.
4. Le gouvernement turc.
5. Aide d'un huissier.

net : sitôt je vois du fond d'un fiacre baisser pour moi le pont d'un château fort, à l'entrée duquel je laissai l'espérance et la liberté. (Il se lève.) Que je voudrais bien tenir un de ces puissants de quatre jours, si légers sur le mal qu'ils ordonnent, quand une bonne disgrâce a cuvé son orgueil! Je lui dirais... que les sottises imprimées n'ont d'importance qu'aux lieux où l'on en gêne le cours; que, sans la liberté de blâmer, il n'est point d'éloge flatteur [1]; et qu'il n'y a que les petits hommes qui redoutent les petits écrits. (Il se rassied.) Las de nourrir un obscur pensionnaire, on me met un jour dans la rue; et comme il faut dîner, quoiqu'on ne soit plus en prison, je taille encore ma plume, et demande à chacun de quoi il est question : on me dit que, pendant ma retraite économique, il s'est établi dans Madrid un système de liberté sur la vente des productions, qui s'étend même à celles de la presse; et que, pourvu que je ne parle en mes écrits ni de l'autorité, ni du culte, ni de la politique, ni de la morale, ni des gens en place, ni des corps en crédit, ni de l'Opéra, ni des autres spectacles, ni de personne qui tienne à quelque chose, je puis tout imprimer librement, sous l'inspection de deux ou trois censeurs [2]. Pour profiter de cette douce liberté, j'annonce un écrit périodique, et, croyant n'aller sur les brisées d'aucun autre, je le nomme *JOURNAL INUTILE*. Pou-ou! je vois s'élever contre moi mille pauvres diables à la feuille, on me supprime, et me voilà derechef sans emploi! — le désespoir m'allait saisir; on pense à moi pour une place, mais par malheur j'y étais propre : il fallait un calculateur, ce fut un danseur qui l'obtint. Il ne me restait plus qu'à voler; je me fais banquier de pharaon : alors, bonnes gens! je soupe en ville, et les personnes dites *COMME IL FAUT* m'ouvrent poliment leur maison, en retenant pour elles les trois quarts du profit. J'aurais bien pu me remonter; je commençais même à comprendre que pour gagner du bien, le savoir-faire vaut mieux que le savoir. Mais

---

1. Revendication pour la liberté de penser et d'écrire.
2. La Librairie royale exerçait une censure et pouvait faire brûler les livres.

comme chacun pillait autour de moi, en exigeant que je fusse honnête, il fallut bien périr encore. Pour le coup je quittais le monde, et vingt brasses d'eau allaient m'en séparer, lorsqu'un Dieu bienfaisant m'appelle à mon premier état. Je reprends ma trousse et mon cuir anglais [1]; puis, laissant la fumée aux sots qui s'en nourrissent, et la honte au milieu du chemin, comme trop lourde à un piéton, je vais rasant de ville en ville, et je vis enfin sans souci. Un grand seigneur passe à Séville; il me reconnaît, je le marie [2]; et pour prix d'avoir eu par mes soins son épouse, il veut intercepter la mienne! Intrigue, orage à ce sujet. Prêt à tomber dans un abîme, au moment d'épouser ma mère, mes parents m'arrivent à la file. (Il se lève en s'échauffant.) On se débat, c'est vous, c'est lui, c'est moi, c'est toi, non, ce n'est pas nous; eh! mais qui donc? (Il retombe assis.) O bizarre suite d'événements! Comment cela m'est-il arrivé? Pourquoi ces choses et non pas d'autres? Qui les a fixées sur ma tête? Forcé de parcourir la route où je suis entré sans le savoir, comme j'en sortirai sans le vouloir, je l'ai jonchée d'autant de fleurs que ma gaieté me l'a permis : encore je dis ma gaieté sans savoir si elle est à moi plus que le reste, ni même quel est ce MOI dont je m'occupe : un assemblage informe de parties inconnues; puis un chétif être imbécile; un petit animal folâtre; un jeune homme ardent au plaisir, ayant tous les goûts pour jouir, faisant tous les métiers pour vivre; maître ici, valet là, selon qu'il plaît à la fortune; ambitieux par vanité, laborieux par nécessité, mais paresseux... avec délices! orateur selon le danger; poète par délassement; musicien par occasion; amoureux par folles bouffées, j'ai tout vu, tout fait, tout usé. Puis l'illusion détruite, et, trop désabusé... Désabusé...! Suzon, Suzon, Suzon! que tu me donnes de tourments!... J'entends marcher... on vient. Voici l'instant de la crise.

BEAUMARCHAIS, *Le Mariage de Figaro*, Acte V, scène III.

---

1. Il redevient barbier-chirurgien.
2. Je lui trouve une épouse.

● Influence des idées révolutionnaires

> Ce texte issu de la thèse de Mornet sur les origines intellectuelles de la Révolution française explique pourquoi les révoltes ancestrales du monde rural ont fini par aboutir à la Révolution. Les révoltes paysannes sont plutôt moins nombreuses à la fin du siècle : c'est que l'esprit de révolte est plus grand. Les masses populaires sont encadrées, entraînées dans un mouvement de contestation dont l'impulsion vient de la bourgeoisie, et qui se donne des raisons politiques et sociales. Les émeutes populaires, dès lors, ne seront plus que l'occasion d'une révolution qui mûrit depuis longtemps dans les esprits.

Si l'on ne tient pas compte des années 1787 et 1788, les émeutes, grèves, murmures, augmentent après 1770 ; mais la progression n'est pas très sensible. Les tumultes populaires sont déjà fréquents à une époque où l'impatience raisonnée et philosophique n'a même pas atteint la moyenne bourgeoisie. L'extrême misère [1] a entretenu une sorte de désespoir plus ou moins latent qui pousse constamment, ici ou là, à des actes désespérés. Il est possible, il est même probable que s'ils sont un peu plus nombreux vers 1770-1786, c'est par une influence lointaine de l'esprit philosophique ; le moyen ou le petit bourgeois prétendent raisonner des choses de la religion ou de l'État ; le chanoine discute avec le marguillier, le commissaire avec le régent, quelque laquais, quelque ouvrier, quelque fermier écoute, retient des mots, des formules et surtout l'idée que des gens instruits et aisés ne sont pas contents, il soupçonne ou il affirme qu'il y a des raisons et des droits pour qu'on le sorte

---

1. Le monde rural souffrait constamment sous l'ancien régime de crises de sous-production agricole. Le blé manquant, les riches stockaient, spéculant à la hausse des grains. Les pauvres n'avaient pas assez pour se nourrir de leur propre récolte, et pas d'argent pour acheter aux prix prohibitifs du marché. Ils souffraient de la faim. Le petit peuple des villes était, en période de disette, encore plus malheureux, car il souffrait de chômage total ou partiel, et les marchés urbains ne pouvaient être alimentés régulièrement. L'administration royale surveillant les prix, le pain se vendait au marché parallèle pour les riches, et les pauvres ne mangeaient rien. La Révolution française connaît d'innombrables exemples d'émeutes liées aux famines, soit à Paris et dans les villes, soit même dans les villages où l'on tue les « accapareurs. »

de la misère [1]. Mais les raisonnements n'ont sans doute tenu qu'une place très secondaire dans les impatiences et les espérances populaires. Elles sont nées de la vie pratique, de la réalité des souffrances. Ce sont des causes surtout sociales et politiques qui ont assuré aux idées révolutionnaires l'appui d'un peuple qui n'avait pas cessé de faire l'expérience de la révolte et qui n'attendait qu'une défaillance du pouvoir pour s'y jeter violemment.

Daniel MORNET, *Les Origines intellectuelles de la révolution française*, éd. Armand Colin.

● **La crise économique en juin 1789**

Le voyageur anglais Young a parcouru la France à la veille de la Révolution. C'est un observateur impartial, qui sait voir et décrire. Il est ici le témoin d'un des multiples drames de subsistance, qui attristaient les marchés aux grains à la veille de la Révolution. La France rurale — les archives des paroisses en témoignent dans de nombreuses régions — avait subi plusieurs années successives de mauvaises récoltes.

Chaque chose conspire à rendre critique, en France, la période actuelle [2]; la disette de pain est terrible; à tout moment, on reçoit de province des nouvelles d'émeutes et de troubles, et il faut avoir recours aux troupes pour préserver la paix des marchés [3]. Les prix que l'on cite sont les mêmes que j'ai trouvés à Abbeville et à Amiens : 5 sous la livre pour le pain blanc et 3 sous et demi ou 4 sous pour le pain ordinaire, qui est mangé par les pauvres; ces prix dépassent leurs ressources [4] et causent une grande misère.

1. Ces « raisons et droits » seront transcrits dans les cahiers de doléances, rédigés pour être adressés aux États généraux de 1789.
2. Le texte se réfère à la disette de juin 1789.
3. L'administration royale recourait à l'armée pour protéger les marchés. Elle imposait des prix fixes à la vente des denrées. Mais elle était obligée de composer avec les fournisseurs de grains. Sinon, ils auraient stocké et vendu au marché parallèle.
4. Les paysans pauvres, ne disposant que d'un lopin de terre, sont très nombreux en France. Ils ne subsistent que les années de récoltes convenables. En cas de disette, ils n'ont aucune réserve d'argent pour subsister.

... Le jour du marché, je vis le blé vendu... avec un piquet de dragons au milieu de la place pour empêcher toute violence. Le peuple se dispute avec les boulangers, prétendant que les prix qu'ils demandent pour le pain sont hors de proportion avec ceux du blé; des injures on passe aux coups; c'est l'émeute, et l'on se sauve avec du pain et du blé sans rien payer; c'est arrivé à Nangis, près de Provins (Seine-et-Marne) et dans maints autres marchés...

A. YOUNG, *Voyage en France*, I, passim.

● **Révolte contre les Parlementaires**

Dès le début de la Révolution les clubs bourgeois (les Feuillants, les Jacobins) se distinguent du club populaire des Cordeliers.

Apôtre des Cordeliers, le médecin Marat prêche ici la révolte contre les Parlementaires, qui sont à l'origine de la Révolution bourgeoise, mais qui ont tout de suite voulu l'arrêter, dès lors que le roi satisfaisait à leur revendication principale : obtenir une constitution. Marat flétrit en eux les privilégiés qui veulent changer à leur profit le régime politique, mais laisser subsister dans son injustice le système social du privilège.

Les Parlements ont abandonné le Tiers État, et le Tiers État les abandonne à son tour [1].

Qu'y perdra-t-il? On leur reproche de s'être toujours peu souciés du Peuple, mais d'avoir été fort jaloux de certains privilèges [2]. On leur reproche de se donner à la ville pour les défenseurs des opprimés et d'opprimer eux-mêmes à la campagne le faible qui a le malheur d'être leur voisin [3].

On leur reproche de ne s'être élevés contre les lettres de cachets que lorsqu'elles ont commencé à frapper sur leurs têtes...

1. Les Parlementaires sont des bourgeois le plus souvent anoblis, qui constituent la noblesse de robe. Ce sont des privilégiés dont les intérêts sont différents de ceux du Tiers État, qui groupe tous les non-privilégiés.
2. Les privilèges de la noblesse de robe.
3. Les Parlementaires parisiens sont généralement de riches propriétaires fonciers. Ils ont racheté les terres nobles et y perçoivent les droits féodaux.

On leur reproche d'avoir poussé le Tiers État à réclamer ses droits et d'avoir étouffé sa voix lorsqu'il a voulu faire entendre ses réclamations...

On leur reproche d'avoir demandé la liberté de la Presse dans l'espoir d'être flagornés puis d'en avoir demandé la suppression dans la crainte d'être censurés.

On leur reproche d'aspirer à l'indépendance et de ne s'offrir au Roi que dans l'espoir de partager un jour son autorité [1]. A voir leurs beaux discours et leurs horribles procédés, leur morale si douce dans la théorie et si dure dans la pratique, leur politique si sage en apparence et si perfide en effet, tant de modestie sur les lèvres et tant d'orgueil dans le cœur, tant d'humanité dans les maximes et tant de cruauté dans les actions, des hommes si modérés et des magistrats si ambitieux, des juges si intègres et des jugements si injustes, on ne sait plus à quoi s'en tenir, et le titre touchant de pères du Peuple dont ils se parent avec ostentation ne semble plus qu'un titre dérisoire destiné à désigner avec ironie des sujets dangereux.

MARAT, *Discours au Tiers État de France.*

● **Le droit à l'insurrection**

Ami de Robespierre, membre du *Comité de salut public*, Saint-Just est le théoricien du régime révolutionnaire de 1793. Il proclame dans ce fragment, le droit à l'insurrection, mais en le limitant à ceux qui se soulèvent pour le bien du peuple. Comme Robespierre, Saint-Just est un démocrate. Il est aussi comme lui un terroriste. Chargé de mission aux armées, il organise la guerre révolutionnaire, encadrant politiquement les officiers supérieurs. Guillotiné avec Robespierre, son nom est lié

---

1. La vieille revendication du Parlement de Paris, gardien « des lois fondamentales du royaume » était d'imposer au roi le contrôle du législatif, et l'indépendance du judiciaire. C'était, en somme, le programme de Montesquieu.

à la Terreur, à la victoire aux armées, à l'idéologie de 93 :
il est l'auteur de formules révolutionnaires célèbres :
« L'idée de bonheur est une idée neuve en Europe. »
Si Robespierre est le juriste et le rhéteur de la République
Montagnarde, Saint-Just en est le poète.

« Là où l'homme obéit, sans qu'on le suppose bon,
il n'y a ni liberté ni patrie [1]. Obéir aux lois, cela n'est
pas clair; car la loi n'est autre chose que la volonté
de celui qui impose. On a le droit de résister aux lois
oppressives [2]. »

SAINT-JUST, *Fragments sur les institutions républicaines.*

L'insurrection est le droit exclusif du peuple et du
citoyen. Tout étranger, tout homme revêtu de fonctions publiques, s'il la propose, est hors-la-loi, et
doit être tué sur l'heure, comme usurpateur de la
souveraineté, et comme intéressé aux troubles pour
faire le mal ou pour s'élever.
   Les insurrections qui ont eu lieu sous le despotisme
sont toujours salutaires. Celles qui éclatent dans un
État libre sont dangereuses quelquefois pour la
liberté même, parce que la révolte du crime en usurpe
les prétextes sublimes et le nom sacré. Les révoltes
font aux États libres des plaies longues et doulou-
reuses qui saignent tout un siècle.

Ibid.

● **Les journées d'octobre 1789**

Pendant les journées des 5 et 6 octobre, le peuple
parisien, craignant la famine et l'invasion, le fameux
« complot aristocratique », se rend à Versailles pour
ramener la famille royale. C'est une émeute. Le journal
pro-révolutionnaire « Les Révolutions de Paris » raconte

---

1. La liberté, c'est pour Saint-Just le pouvoir de contester le droit, si celui-ci
n'est pas établi en fonction des aspirations du peuple.
   La « patrie », c'est, en ces temps de guerre révolutionnaire, l'ensemble de ceux
qui sont prêts à mourir pour la Révolution.
2. Les lois oppressives sont celles qui tendent à empêcher la libération du
peuple. Il a donc le devoir de les abolir.

le retour du roi au milieu du peuple en révolte. La description de l'étrange cortège donne le ton des fameuses « journées » parisiennes de la première Révolution, avec leur étonnant folklore populaire.

A deux heures notre avant-garde arriva, suivie d'une forte partie des femmes [1] et des hommes du peuple qui s'étaient rendus la veille à Versailles. Un grand nombre était dans les fiacres, sur des chariots ou sur les trains des canons. Ils portaient des bandoulières, des chapeaux, des pommes d'épée des gardes du corps [2]. Des femmes couvertes de cocardes nationales, de la tête aux pieds, demandaient ou ôtaient aux spectatrices les rubans noirs et verts et les traînaient dans la boue.

Il s'écoula près de quatre heures avant que le corps d'armée qui précédait la voiture du roi arrivât... Des femmes, portant de hautes branches de peuplier [3], ouvraient la marche; une centaine de gardes nationaux à cheval vinrent ensuite; puis les grenadiers et les fusiliers; les canons étaient entre chaque compagnie, qui était entremêlée de femmes, de gardes du corps, des soldats du régiment de Flandre; les cent suisses [4] marchent après eux sur deux lignes, le peuple ne s'étant point jeté dans leurs rangs...; la municipalité et une députation de l'Assemblée précédaient les voitures du Roi, qui étaient environnées de grenadiers.

Il est aussi impossible de peindre le transport des Français, au moment où le Roi a passé, que de répéter tout ce qu'ils ont dit pour lui faire connaître les sentiments : « Vive le Roi! Le voilà donc, ce bon Roi! Notre Roi! Notre Roi! » Les mains, les chapeaux étaient en l'air; les applaudissements, les cris d'enthousiasme, le délire, nous avons tout vu, tout senti profondément [5].

Extrait d'un Journal Révolutionnaire, *Les Révolutions de Paris*, n° XIII.

---

1. Les femmes jouent un grand rôle dans les « journées ».
2. De la maison royale.
3. En signe de liberté.
4. Le roi avait un régiment de gardes suisses.
5. La monarchie restait encore populaire. C'est la fuite à Varennes qui discréditera définitivement le roi. En 1789 il jouit d'un prestige dû moins à sa personne qu'à la sacralisation de la fonction royale.

● **Un plan d'insurrection**

Autre journée révolutionnaire, autre émeute populaire, celle du 20 mai 1795 (1er Prairial an III). C'est la dernière de la Révolution : Robespierre et ses amis ont été décapités. Les Royalistes relèvent la tête. Les républicains de Thermidor luttent contre la chouannerie. Les prix sont en hausse. Le pain manque. Le peuple réalise qu'il a laissé guillotiner Robespierre et que la Révolution risque de lui échapper. Paris se soulève : c'est le dernier acte. La répression va supprimer les derniers Montagnards. Révolte en partie spontanée, en partie dirigée par les conventionnels Montagnards désireux de trouver une revanche, cette journée de prairial sonne le glas du Paris insurgé.

Extraits d'un plan d'insurrection répandu à Paris :

Le peuple considérant que le gouvernement le fait mourir inhumainement de faim[1], que les promesses qu'il ne cesse de répéter sont trompeuses et mensongères... arrête ce qui suit :

— Aujourd'hui, sans plus tarder, les citoyens et citoyennes de Paris se porteront en masse à la Convention nationale pour lui demander :

Du pain ;

L'abolition du gouvernement révolutionnaire dont chaque faction abusa tour à tour pour ruiner, pour affamer et pour asservir le peuple ;

La proclamation et l'établissement, sur le champ, de la Constitution démocratique de 1793[2] ;

L'arrestation de chacun des membres qui composent les comités actuels de gouvernement, comme coupable du crime de lèse-nation et de tyrannie envers le peuple...

— Le mot de ralliement du peuple est : DU PAIN ET LA CONSTITUTION DÉMOCRATIQUE DE

1. De nouveau la disette prive de grains les boulangeries parisiennes. Le peuple, ameuté par les clubs et les meneurs, crie au « complot ». C'est le schéma habituel des « journées ».
2. La Constitution des Montagnards, avec suffrage universel et séparation des pouvoirs.

1793. Quiconque, durant l'insurrection, ne portera point ce mot de ralliement écrit à la craie sur son chapeau [1] sera regardé comme affameur public et comme ennemi de la liberté.

DECHAPPE, *L'Histoire par les textes*, éd. Delagrave.

● Les Enragés

Au printemps de 1793, la situation économique en France était désastreuse. La guerre entraînait un surcroît de disettes. Les Anglais bloquaient les côtes. Les prix étaient en hausse constante. On ne trouvait plus de denrées sur les marchés. Les monnaies révolutionnaires en papier, appelées *assignats*, perdaient chaque jour plus de valeur. Dans Paris, c'était le chômage, la misère, la famine. Des agitateurs populaires, appelés « enragés » suivaient les mots d'ordre de Varlet et de l'ancien prêtre Jacques Roux : ils demandaient la réquisition des denrées, l'arrestation des profiteurs, la taxation des prix. Ici Jacques Roux s'en prend aux banquiers, ennemis à la fois de la Révolution et de la France.

(Peuple tu as en horreur les prêtres et les nobles) et tu souffres à tes côtés les banquiers qui sont des mangeurs d'hommes, les banquiers dont la plume, trempée dans le fiel, calomnie, dans toutes les parties du monde, notre révolution [2], les banquiers dont le luxe impudent insulte au courage et à la vertu des républicains : Ah! réfléchis... que les banquiers commandent à leur gré l'abondance ou la famine; que d'un courrier à l'autre ils mettent nos armées à la diète et à l'agonie; qu'ils accaparent le numéraire, les subsistances, les assignats... tu te convaincras de la nécessité d'anéantir cette secte carnivore qui dépeuple la terre par le poison lent de l'agiotage [3].

Ainsi tu dois faire regorger tous ces mauvais citoyens qui ont acquis des domaines immenses depuis

---

1. Ce dernier trait indique le caractère peu spontané de la journée. Il y a des meneurs.
2. Les banquiers sont accusés de trafiquer clandestinement avec l'Angleterre et la Hollande.
3. La spéculation, notamment sur les grains.

quatre ans [1], ces égoïstes qui ont profité des malheurs publics pour s'enrichir, ces députés qui, avant leur élévation inopinée à l'aréopage, n'avaient pas un écu par jour à dépenser et qui sont aujourd'hui de gros propriétaires, ces députés qui exerçaient l'état de boucher dans des rues fétides et qui occupent maintenant des appartements lambrissés... Ah! Coquins, Pétion, Barnave, Lameth, Brissot, Fauchet, Manuel [2], vous tous qui avez provoqué la foudre des rois sur un peuple dont le crime fut de vouloir être libre, vous tous qui vous êtes ligués avec les accapareurs et les sangsues publiques pour faire mourir de faim et d'inanition les femmes et les enfants... le moment de votre défaite approche. Les sans-culottes vous apprendront que le commerce ne consiste plus à affamer ses semblables, que la vie de l'homme est la plus sacrée des propriétés... Avoir de l'indulgence pour les traîtres, pour les accapareurs c'est se déclarer les partisans de l'agiotage et des concussions; c'est assassiner la société...

Discours de Jacques ROUX, cité par G. WALTER, *La Révolution française vue par les Journaux*, éd.
Tardy.

● Un manifeste révolutionnaire

En 1796, sous le premier Directoire, un groupe de démocrates, indignés contre le coup d'arrêt porté à la Révolution, préparent une révolte en secret : c'est le complot babouviste ou *Conspiration des Égaux*. Gracchus Babœuf, l'âme du complot, prétendait instaurer une société nouvelle où l'égalité n'aurait pas été seulement politique et juridique, mais sociale. Ces ancêtres des communistes furent arrêtés et guillotinés. Babœuf mourut en 1797. Voici un passage du « manifeste des Égaux » :

Peuple de France! Pendant quinze siècles, tu as vécu esclave et, par conséquent, malheureux. Depuis six années tu respires à peine dans l'attente de l'in-

---

1. Ils ont acheté les biens nationaux, vendus par gros et moyens lots, jamais par petits lots. Seuls les riches ont pu en profiter.
2. Ce sont des conventionnels.

dépendance, du bonheur et de l'égalité. L'égalité !
Premier vœu de la nature [1]!... toujours et partout,
on berça les hommes de belles paroles : jamais et
nulle part, ils n'ont obtenu la chose avec le mot.
De temps immémorial, on nous répète avec hypocrisie : « les hommes sont égaux » et, de temps immémorial, la plus avilissante inégalité pèse insolemment
sur le genre humain... l'égalité ne fut autre chose
qu'une belle et stérile fiction de la loi? Aujourd'hui
qu'elle est réclamée d'une voix plus forte, on nous
répond : « Taisez-vous, misérables ! l'égalité de fait
n'est qu'une chimère. Contentez-vous de l'égalité
conditionnelle. Vous êtes tous égaux devant la loi.
Canaille ! que vous faut-il de plus? » Ce qu'il nous
faut de plus ! législateurs, gouvernants, riches propriétaires, écoutez à votre tour... Eh bien ! nous
prétendons désormais vivre et mourir égaux comme
nous sommes nés et nous aurons l'égalité réelle [2] ou
la mort... La Révolution française n'est que l'avant-
courrière d'une autre révolution bien plus grande,
bien plus solennelle et qui sera la dernière...

Législateurs et gouvernants, qui n'avez pas plus de
génie que de bonne foi, propriétaires riches et sans
entrailles, en vain essayez-vous de neutraliser notre
sainte entreprise, en disant : « Ils ne font que reproduire cette loi agraire demandée plus d'une fois avant
eux. » Calomniateurs, taisez-vous ! La loi agraire [3]
ou le partage des campagnes fut le vœu instantané
de quelques soldats sans principes, de quelques peu-
plades mues par leur instinct plus que par leur raison.
Nous tendons à quelque chose de plus sublime et de
plus équitable : le bien commun ou la communauté
des biens.

Plus de propriété individuelle des terres ! la terre
n'est à personne. Nous réclamons, nous voulons la
jouissance commune des fruits de la terre.

Gracchus Babœuf, *Le Manifeste des égaux.*

---

1. Réminiscence de Rousseau.
2. L'égalité sociale.
3. Allusion aux décrets de Ventôse, qui se proposaient de distribuer des biens nationaux de 2ᵉ origine aux indigents.

● **Apologie de la révolte légitime**

> Le journal des Babouvistes, *Le Tribun du Peuple*,
> développait le programme des Égaux. Voici une apologie
> de la révolte légitime.

Perfides ou ignorants! Vous criez qu'il faut éviter
la guerre civile? qu'il ne faut point jeter parmi le
peuple de brandon de discorde...? Et quelle guerre
civile plus révoltante que celle qui fait voir tous
assassins d'une part, et toutes victimes sans défenses
de l'autre? Pouvez-vous faire un crime à celui qui
veut armer les victimes contre les assassins? Ne vaut-il
pas mieux la guerre civile où les deux partis peuvent
se défendre réciproquement? Qu'on accuse donc,
si l'on veut, notre journal d'être un tissu de discorde.
Tant mieux : la discorde vaut mieux qu'une horrible
concorde où l'on étrangle la faim [1]. Que les partis
en viennent aux prises : que la rébellion partielle,
générale, instante, reculée, se détermine : nous sommes
toujours satisfaits! (...) Que l'on conspire contre
l'oppression, soit en grand, soit en petit, secrètement
ou à découvert, dans cent mille conciliabules ou
dans un seul, peu nous importe, pourvu que l'on
conspire, et que désormais les remords et les transes
accompagnent tous les moments des oppresseurs.
Nous avons donné tout haut le signal, afin que beaucoup l'aperçoivent; afin d'appeler beaucoup de
complices; nous leur avons donné les motifs bien
justifiés et quelques idées du mode, nous sommes à
peu près sûr que l'on conspirera. Que la tyrannie
essaie si elle peut se mettre en mesure de nous entra-
ver... Le peuple, dit-on, n'a point de guides. Qu'il en
apparaisse, et le peuple, dès l'instant brise ses chaînes [2],
et conquiert du pain pour lui et pour toutes ses
générations. Répétons-le encore : tous les maux sont

---

1. Allusion aux émeutes révolutionnaires où le pain a toujours joué un rôle
essentiel, et particulièrement à la répression de la journée du 20 mai 1795.
2. L'expression devait connaître une postérité certaine dans le langage du
mouvement ouvrier. Il est remarquable de la trouver déjà dans un texte révolutionnaire. La révolte apparaît ici comme un devoir.

à leur comble; ils ne peuvent se réparer que par un bouleversement total!!! Que tout se confonde donc!... Que tous les éléments se brouillent, se mêlent et s'entrechoquent!... Que tout rentre dans le chaos, et que du chaos sorte un monde nouveau et régénéré!

Venons, après mille ans, changer ces lois grossières.

Le Tribun du peuple.

● Révolte d'un poète

La révolte n'est pas l'apanage des révolutionnaires. André Chénier, le poète guillotiné pendant la Terreur, est révolté contre le sang, le crime, la mort. Avant de mourir, il demande justice pour l'humanité.

Vienne, vienne la mort! — Que la mort me délivre!
Ainsi donc mon cœur abattu
Cède au poids de ses maux? Non, non. Puissé-je vivre!
Ma vie importe à la vertu.
Car, l'honnête homme enfin, victime de l'outrage,
Dans les cachots, près du cercueil,
Relève plus altiers son front et son langage,
Brillants d'un généreux orgueil.
S'il est écrit aux cieux que jamais une épée
N'étincellera dans mes mains,
Dans l'encre et l'amertume une autre arme trempée
Peut encore servir les humains.
Justice, Vérité, si ma main, si ma bouche,
Si mes pensers les plus secrets
Ne froncèrent jamais votre sourcil farouche,
Et si les infâmes progrès,
Si la risée atroce, ou, plus atroce injure,
L'encens de hideux scélérats
Ont pénétré vos cœurs d'une longue blessure,
Sauvez-moi. Conservez un bras
Qui lance votre foudre, un amant qui vous venge.
Mourir sans vider mon carquois!
Sans percer, sans fouler, sans pétrir dans leur fange
Ces bourreaux barbouilleurs de lois!
Ces vers cadavéreux de la France asservie,
Égorgée! O mon cher trésor,

O ma plume! fiel, bile, horreur, Dieux de ma vie!
Par vous seuls je respire encor :
Comme la poix brûlante agitée en ses veines
Ressuscite un flambeau mourant,
Je souffre; mais je vis. Par vous, loin de mes peines,
D'espérance un vaste torrent
Me transporte. Sans vous, comme un poison livide[1]
L'invisible dent du chagrin,
Mes amis opprimés, du menteur homicide
Les succès, le sceptre d'airain;
Des bons[2] proscrits par lui, la mort ou la ruine,
L'opprobre de subir sa loi,
Tout eût tari ma vie; ou contre ma poitrine
Dirigé mon poignard. Mais quoi!
Nul ne resterait donc pour attendrir l'histoire
Sur tant de justes massacrés?
Pour consoler leur fils, leurs veuves, leur mémoire.
Pour que des brigands abhorrés
Frémissent aux portraits noirs de leur ressemblance,
Pour descendre jusqu'aux enfers
Nouer le triple fouet[3], le fouet de la vengeance
déjà levé sur ces pervers?
Pour cracher sur leurs noms, pour chanter leur
supplice?
Allons, étouffe tes clameurs;
Souffre, ô cœur gros de haine, affamé de justice.
Toi, Vertu, pleure si je meurs.

André CHÉNIER, *Iambes.*

---

1. Qui rend le visage livide.
2. Pris substantivement.
3. Les Trois Furies qui dans l'antiquité punissaient les criminels. Le poète André Chénier était très inspiré par l'antiquité grecque.

— Écrit par le poète emprisonné qui attend l'heure de la guillotine, ce poème est une révolte contre la mort, la société, l'absurdité et l'injustice d'une Révolution aveuglée par le sang. Chénier n'accepte pas son sort. Il meurt avec l'idée que la mort inutile est un scandale.
— Accepter une telle mort n'est pas digne d'un homme de « vertu ». L'« honnête » homme, celui qui a cru à la

révolution et au progrès de l'esprit humain, s'indigne contre les « barbouilleurs de lois ». Chénier, dans sa révolte, abaisse ses adversaires. Ils ne sont plus que des caricatures de révolutionnaires, des assassins.

— Le poète assassiné lance les invectives qui doivent porter dans l'avenir témoignage de sa révolte : celle de la vertu contre le crime, de la foi dans l'homme contre les hommes sans foi, de l'honnêteté contre la perversité, de la « justice » contre l'injustice absurde du carnage. Il faut voir dans ces vers, outre les accents très forts de l'appel à la vengeance, l'angoisse et la révolte intérieure du poète contre le déchaînement de violence d'un monde qui n'a plus rien d'humain.

● Interprétation d'un essayiste contemporain

Ce texte de l'essayiste contemporain Jean-Marie Domenach a sa place à la fin de l'étude des révoltes du xviiie siècle, qui culminent avec la Révolution. Il est une analyse lucide, une interprétation du fait de la révolte à la lumière de tout ce qui a pu suivre l'événement. Sa place est donc ici, plutôt que dans les textes du xxe siècle.

Sans le savoir clairement, [le peuple en révolte] vise à coup sûr les représentants de la domination d'en haut : rois, nobles, évêques, tous ceux qui ont une prétention à être plus que des hommes, et les saints eux-mêmes aux porches des cathédrales. Châteaux, donjons, églises, aristocrates et prêtres... il arase furieusement la France. Sur les ruines des anciennes malédictions, contre un malheur que ne justifie aucune faute, les révolutionnaires proclament l'avènement de la liberté et du bonheur. (...) En érigeant le peuple en juge et meurtrier du roi, la Révolution dresse d'un coup un nouvel acteur, celui qui rompt les chaînes, celui qui met en marche l'humanité. Elle procède juridiquement, c'est-à-dire théâtralement, sachant au fond que cette mythologie qu'elle méprise, elle doit la détruire par un acte irrévocable. Ce faisant, elle renoue malgré elle avec les fables qu'elle prétend abolir, elle se gausse, elle se réintroduit dans le grand débat métaphysique entre l'homme et la divinité, dont la tragédie grecque a orchestré les commencements. Certes, c'est pour en finir avec la divinité, du moins dans un premier temps, lorsque le tarissement de l'énergie civique n'a pas encore conduit les dirigeants à rouvrir les sources de la religion; c'est pour instaurer le règne de l'homme. On remet le calendrier à zéro. On recommence tout. (...) Voici venue la revanche de Prométhée; ou, pour parler comme Hölderlin, voici qu'à la trahison d'un Dieu qui a mal aimé sa création réplique ce retournement d'un peuple vers sa liberté et sa gloire, vers son destin qu'il se sait capable de prendre en main.

J.-Marie DOMENACH, *Retour du tragique*, éd. du Seuil.

● CHAPITRE V

LE XIXᵉ SIÈCLE

Le « siècle des révolutions » est d'abord, par priorité, celui des révoltes. Les « révolutions » européennes sont précédées et rendues possibles par une longue série de révoltes locales (c'est le cas, notamment, en milieu ouvrier urbain) et par une révolte intellectuelle qui diffuse, en profondeur, des idées révolutionnaires.

La révolte intellectuelle est le phénomène le plus nouveau du siècle. C'est alors qu'apparaissent en France, de toutes parts, les « idées sociales » qui, partant d'une analyse critique de la société bourgeoise, élaborent dans le désordre et les tâtonnements les grandes lignes d'une organisation économique et sociale nouvelle. Dans tous les cas, la révolte se fait au nom de la justice sociale, d'où le nom de « socialistes » que prennent rapidement les révoltés.

Qui sont-ils? Le plus illustre de tous est l'allemand Karl Marx qui publie en 1848 le fameux *Manifeste communiste*. Il ne s'agit pas là, à proprement parler, d'un texte de révolte, et Marx ne prétend pas être un révolté. Plus proprement, il est un révolutionnaire doctrinaire : la nouvelle philosophie qu'il propose dans son livre de fond *Le Capital* est une analyse scientifique de la réalité économique et sociale, qui met en lumière les contradictions, l'évolution dialectique, et qui annonce le changement décisif et révolutionnaire qui surviendra inexorablement lors de la décomposition dramatique de la société bourgeoise, devenue incapable de défendre son propre édifice. Le « passage au socialisme », aidé par la révolution prolétarienne et par la prise du pouvoir (la « dictature du prolétariat ») marquera l'avènement de la « société sans classes » et la fin de « l'exploitation de l'homme par l'homme ».

Ces formules marxistes, ainsi que certaines analyses célèbres du « matérialisme historique » marquent les révoltes de la fin du XIXe siècle, inspirent profondément la pensée révolutionnaire des Russes, des Allemands, de certains leaders français; mais elles ne sont pas, à proprement parler, des appels à la révolte ni même des manifestations de la révolte. Elles annoncent et préparent calmement, lucidement, scientifiquement, la révolution décisive du socialisme, dont la révolte n'est que l'occasion. Car si le XIXe siècle est appelé le « siècle des révolutions », il est surtout le siècle des révolutions manquées. Trois fois en cent ans, le peuple de Paris couvre la capitale de barricades sans pour autant changer l'ordre social. Les révolutions d'Italie, d'Allemagne, d'Europe centrale, ont des conséquences politiques, mais elles respectent l'ordre. Il faut attendre 1917 en Russie, pour que réussisse la première révolution socialiste. La « révolte » des intellectuels provient en grande partie d'une psychose d'échec, du sentiment que la révolution ne peut naître que d'un bouleversement mondial apocalyptique, d'une « guerre mondiale » (Lénine) et non de révoltes nationales et locales. Les intellectuels en révolte connaissent l'épreuve et le désespoir. Divisés entre eux par des questions de doctrines et de clientèles, poursuivis et souvent persécutés par les défenseurs de l'ordre, ils sont parfois de véritables spécialistes de la révolte, des « desperados » de la révolution sociale : c'est le cas du Français Auguste Blanqui, qui participe à toutes les révolutions, et passe une grande partie de sa vie en prison.

Avant Marx, connu et diffusé très tard en France (à partir des années 1890), les intellectuels français protestent très tôt, à titre individuel, contre l'ordre, la société, l'exploitation des hommes. Cette révolte sociale vient de tous les horizons : le grand seigneur, aristocrate messianique, Henri de Saint-Simon, meurt en recommandant à ses disciples de prendre conscience du malheur des « classes souffrantes » et de les aider à obtenir de la société plus de justice. Ils fondent aussitôt une Église étrange, vouée au « saint-simonisme », vivent en communauté, se révoltent contre l'ordre établi, choquent violemment la société de leur temps. Autre révolté, l'épicier Fourier, qui proteste contre le scandale du gaspillage des biens de consommation et propose à ses fidèles de vivre en « phalanstère ». Quelques-uns s'embarquent pour l'Amérique, terre d'asile, au XIXe siècle, pour ce genre de communautés appelées encore « Icaries ».

Le prote d'imprimerie Proudhon est un type encore différent de révolté : autodidacte comme Fourier, il s'efforce d'imaginer une société nouvelle, fondée sur la mise en commun des ressources en capital, décentralisée à l'extrême : la célèbre formule : « la propriété, c'est le vol » lance puissamment l'anarchisme proudhonien, future bête noire de Marx.

Les révoltes intellectuelles du XIXe siècle sont individuelles. Autant de révoltés, autant de pensées, d'attitudes, de doctrines différentes. Le seul point commun de tous ces « penseurs », c'est qu'ils rejettent en bloc la société du profit, la société libérale de leur temps. Ils la jugent injuste, gaspilleuse, scandaleuse, mal gérée, indigne de survivre. L'âge d'or des intellectuels révoltés est la première moitié du siècle : la révolution de 1848 est un peu leur œuvre. Proudhon se trouve sur les bancs de l'Assemblée. Louis Blanc, Blanqui sont à la pointe du combat. Les innombrables « clubs » révolutionnaires de 1848 sont pleins de ces intellectuels professionnels de la révolte, tout étonnés de se découvrir tant de frères.

Mais l'échec de 1848 est aussi leur œuvre. Ils sont emportés par cet échec. Sans doute Proudhon jouera-t-il un grand rôle dans l'élaboration de la pensée syndicale française sous le Second Empire, et par suite dans l'idéologie de la Première Internationale ouvrière. Mais les marxistes ont inventé un mot pour discréditer les révoltés brumeux du premier socialisme français : ce sont les « quarante-huitards », idéalistes bavards, incapables d'exercer le pouvoir et d'assumer la révolution, responsables de l'échec du prolétariat dans sa première révolte historique. Il est vrai que les marxistes ne sont pas français, et qu'en 1870 encore, les « quarante-huitards » feront une nouvelle tentative de révolte anarchique, celle de la Commune de Paris, saluée, mais en même temps sévèrement jugée par Marx, dans un ouvrage fondamental qui marque un tournant du mouvement ouvrier.

Delacroix : le 18 juillet 1830,
La liberté guidant le peuple.

Et cependant cette révolte, intellectuelle ou idéaliste, mais déjà socialiste, est un phénomène d'une grande ampleur qui déborde largement le monde ouvrier. Elle s'étend à tous les domaines de la pensée et de la création. Il existe des révoltés dans tous les domaines : la peinture, la musique, la littérature et même la philosophie ou l'histoire. Michelet est aussi révolté que Baudelaire, et Gauguin que Rimbaud. Il n'existe pas seulement, avec les socialistes, une littérature de la révolte. La seconde moitié du siècle, avec les « maudits », connaît une révolte en profondeur de la littérature.

N'allons pas croire que les révoltés sont tous des intellectuels ou des artistes. Même si la révolte est très largement, au XIXe siècle, idéologique, elle apparaît également, dans bien des milieux, comme un phénomène spontané. Elle a toujours sa source dans la misère et la famine. Un cycle continu de révoltes prend naissance dans les années 1830, atteint son sommet dans les années 1840-48, persiste pendant le Second Empire, avant de prendre un second souffle à l'extrême fin du siècle, où se préparent déjà les grandes révoltes anarchiques et anarcho-syndicalistes des années 1900-1910. Si la révolte donne naissance à des genres littéraires variés, de la doctrine au lyrisme, c'est qu'elle prend naissance dans une authentique « misère humaine » comme disait Jaurès, et qu'il existe une chaîne continue des révoltés de l'usine et du rail, des canuts lyonnais aux grands grévistes martyrs du *Germinal* de Zola. Nous nous efforcerons de rendre compte, dans les extraits de textes qui vont suivre, des différents courants de la révolte ; révoltes ouvrières spontanées et sauvages ; révoltes individuelles et doctrinales des auteurs socialistes ; révolte esthétique des écrivains maudits contre le siècle des « bourgeois conquérants ».

● La parabole de Saint-Simon

Pendant les années 1830-1848, tous les types de révoltes coexistent : les écrits socialistes sont nombreux et véhéments. Ils font des émules même chez les penseurs catholiques comme Lamennais ou Lacordaire. Le lyrisme de la révolte est également sensible chez les poètes scandalisés par le prosaïsme de leur siècle, comme Musset (*Lorenzaccio*), Théodore de Banville, Hugo. Enfin les révoltes spontanées sont nombreuses, et donnent lieu à des chroniques vivantes et passionnées.

Nous citons ici la célèbre « parabole » d'Henri de Saint-Simon (1819), qui est une sorte d'Évangile pour l'âge industriel : dans ce texte Saint-Simon suggère, en toute simplicité, que toutes les anciennes élites s'en aillent, et qu'elles laissent le pouvoir de décision aux « capacités » du monde moderne. On ne peut rêver d'une révolte plus raisonnée.

Nous supposons que la France perde subitement ses cinquante premiers physiciens, ses cinquante premiers chimistes, ses cinquante premiers physiologistes, ses cinquante premiers poètes, ses cinquante premiers peintres, ses cinquante premiers sculpteurs, ses cinquante premiers musiciens, ses cinquante premiers littérateurs ;

Ses cinquante premiers mathématiciens, ses cinquante premiers ingénieurs civils et militaires, ses cinquante premiers artilleurs, ses cinquante premiers architectes, ses cinquante premiers médecins, ses cinquante premiers chirurgiens, ses cinquante premiers pharmaciens, ses cinquante premiers marins, ses cinquante premiers horlogers ;

Ses cinquante premiers banquiers, ses deux cents premiers négociants, ses six cents premiers cultivateurs, ses cinquante premiers maîtres de forges, ses cinquante premiers fabricants d'armes, ses cinquante premiers tanneurs, ses cinquante premiers teinturiers, ses cinquante premiers fabricants de coton, ses cinquante premiers fabricants de soieries, ses cinquante premiers mineurs, ses cinquante premiers fabricants de drap, ses cinquante premiers fabricants de toile, ses cinquante premiers fabricants de quincaillerie, ses cinquante premiers fabricants de faïence et de porcelaine, ses cinquante premiers fabricants de cristaux et de verrerie, ses cinquante premiers armateurs, ses cinquante premières maisons de roulage, ses cinquante premiers imprimeurs, ses cinquante premiers graveurs, ses cinquante premiers orfèvres, et autres travailleurs en métaux ;

Ses cinquante premiers maçons, ses cinquante

premiers charpentiers [1], ses cinquante premiers menuisiers, ses cinquante premiers maréchaux [2], ses cinquante premiers serruriers, ses cinquante premiers couteliers, ses cinquante premiers fondeurs, et les cent autres personnes de divers états non désignés, les plus capables dans les sciences, dans les beaux arts, et dans les arts et métiers, faisant en tout les trois mille premiers savants, artistes et artisans de France [3].

Comme ces hommes sont les Français les plus essentiellement producteurs, ceux qui donnent les produits les plus importants, ceux qui dirigent les travaux les plus utiles à la nation, et qui la rendent productive dans les sciences, dans les beaux-arts et dans les arts et métiers, ils sont réellement la fleur de la société française. La nation deviendrait un corps sans âme à l'instant où elle les perdrait; elle tomberait immédiatement dans un état d'infériorité vis-à-vis des nations dont elle est aujourd'hui la rivale, et elle continuerait à rester subalterne à leur égard tant qu'elle n'aurait pas réparé cette perte, tant qu'il ne lui aurait pas repoussé une tête. Il faudrait à la France au moins une génération entière pour réparer ce malheur, car les hommes qui se distinguent dans les travaux d'une utilité positive sont de véritables anomalies [4], et la nature n'est pas prodigue d'anomalies, surtout de celles de cette espèce.

---

1. Les « métiers » ne sont plus, depuis la Révolution, groupés en Corporations; mais les artisans et ouvriers, surtout dans le bâtiment, entrent dans des sociétés secrètes, les « compagnonnages » qui leur assurent la sécurité en cas d'accident ou de maladie, l'emploi grâce à la réputation, enfin, pour les jeunes, la formation. Les « compagnons » effectuent dans le bâtiment un « tour de France ». Ils sont logés et nourris à chaque étape. Ils trouvent partout du travail.
2. Il s'agit évidemment des maréchaux-ferrants, qui jouaient un grand rôle dans les villages, car ils étaient à la fois charrons, forgerons, souvent vétérinaires. Leur rôle initial était de ferrer les chevaux, d'où leur nom.
3. Remarquez le respect de Saint-Simon pour les métiers manuels, qui sont le support de la technologie de l'époque. Pas de progrès possible sans les « artisans » qui rendent concrètes les découvertes scientifiques et techniques, en fabriquant de leurs mains les premières machines.
4. La pensée « élitiste » de Saint-Simon se révèle dans l'expression : « anomalie » : pour lui le génie, ou tout simplement le talent, en un mot ce qu'il appelle ailleurs la « capacité », est une anomalie, en ce sens que peu d'hommes en sont dotés par la nature. Ces hommes-là doivent être les maîtres des décisions sociales. Ils doivent être au sommet.
D'où la formule du maître : « à chacun selon ses capacités, à chaque capacité selon ses œuvres ».

Passons à une autre supposition. Admettons que la France conserve tous les hommes de génie qu'elle possède dans les sciences, les beaux-arts et dans les arts et métiers, mais qu'elle ait le malheur de perdre, le même jour, Monsieur frère du roi, Monseigneur le Duc d'Angoulême, Monseigneur le Duc de Berry, Monseigneur le Duc d'Orléans, Monseigneur le Duc de Bourbon, Madame la Duchesse d'Angoulême, Madame la Duchesse de Berry, Madame la Duchesse d'Orléans, Madame la Duchesse de Bourbon, et Mademoiselle de Condé;

Qu'elle perde en même temps tous les grands officiers de la Couronne, tous les ministres d'État, avec ou sans département, tous les conseillers d'État, tous les maîtres de requête, tous ses maréchaux, tous ses cardinaux, archevêques, évêques, grands-vicaires et chanoines, tous les préfets, tous les employés dans les ministères, tous les juges et, en sus de cela, les dix mille propriétaires les plus riches parmi ceux qui vivent noblement [1].

Cet accident affligerait certainement les Français, parce qu'ils sont bons, parce qu'ils ne sauraient voir avec indifférence la disparition subite d'un aussi grand nombre de leurs compatriotes. Mais cette perte des trente mille individus réputés les plus importants de l'État ne leur causerait de chagrin que sous un rapport purement sentimental, car il n'en résulterait aucun mal politique pour l'État.

La prospérité de la France ne peut avoir lieu que par l'effet [2] et en résultat des progrès des sciences, des beaux-arts et des arts et métiers; et, les princes, les grands officiers de la couronne, les évêques, les maréchaux de France, les préfets et les propriétaires

---

1. « Noblement » : encore un mot révélateur d'une pensée : « vivre noblement » est pour le comte de Saint-Simon une absurdité sociale et économique; cela veut dire : vivre sans rien faire, comme les nobles du Moyen Age, dont la seule fonction était la guerre. Dans la mesure où ils n'assument plus cette fonction, où ils ne sont plus les seuls à l'assumer, ils sont devenus inutiles. L'interdiction qui leur a été faite longtemps en France de se consacrer au commerce et à l'industrie a précipité leur décadence. Ils ne dominent encore la société que par la possession du sol, ce qui est à la fois, pense Saint-Simon, injuste et anti-économique : d'autres les mettraient mieux en valeur.

2. Saint-Simon se révèle ici homme du XVIIIe siècle, héritier des Philosophes des « Lumières » pour qui le progrès scientifique et technique est essentiel au bonheur de l'homme.

oisifs, ne travaillent point directement aux progrès des sciences, des beaux-arts et des arts et métiers, loin d'y contribuer, ils ne peuvent qu'y nuire, puisqu'ils s'efforcent de prolonger la prépondérance exercée jusqu'à ce jour par les théories conjecturales sur les connaissances positives [1].

Ces suppositions font voir que la société actuelle est véritablement le monde renversé [2].

Cité par FOHLEN et SURATTO, *Textes d'histoire contemporaine*, SEDES.

● Première grande révolte ouvrière

Après la révolution de 1830, le nouveau régime de Louis-Philippe eut quelques difficultés à rétablir l'ordre. C'est alors qu'éclata à Lyon la révolte spontanée des ouvriers de la soie, les « canuts ». A Paris, Casimir Périer, un banquier, était au pouvoir. Il devait, au cours de sa brève carrière ministérielle (il mourut du choléra en 1832), réprimer trois révoltes et six complots. Sans doute la révolte des canuts n'avait-elle aucun caractère politique, mais elle inquiétait le pouvoir. Les canuts étaient à Lyon plus de 50 000. Leurs salaires avaient baissé, par suite de la concurrence des soieries anglaises, de plus des 3/4 en quinze ans. Le préfet les avait d'abord soutenus dans leurs revendications, mais, devant l'hostilité des fabricants, ils s'étaient mis en grève, étaient passés à l'insurrection. En novembre 1831, ils étaient maîtres de la ville de Lyon. Périer décida de reprendre la ville. La tâche fut confiée au maréchal Soult. Le 2 décembre, les canuts étaient soumis.

Dans son *Histoire du mouvement ouvrier français*, Jean Bruhat raconte cette première grande révolte ouvrière du siècle.

---

1. Saint-Simon vise aussi le clergé, en tant que dépositaire d'une « doctrine » hostile au progrès scientifique. Il oppose les « théories conjecturales » aux « connaissances positives ». La pensée saint-simonienne se propose, entre autres buts, de libérer l'homme de l'ère industrielle du despotisme intellectuel des « prêtres ».
2. Ici, en fin de texte, apparaît l'idée de révolte. Puisque la raison, la logique et le progrès exigent un remplacement des élites dirigeantes, le maintien de ces élites au pouvoir est une révoltante absurdité.

Le 21 Novembre [1] à sept heures du matin, les ouvriers désertent les ateliers. Marchant quatre par quatre et se tenant par le bras, ils s'avancent vers les quartiers du centre. Ils chantent le refrain de *La Parisienne*, l'hymne de 1830 :

> En avant, marchons
> Contre leurs canons,
> A travers le fer, le feu des bataillons
> Courons
> A la victoire.

Armés de piques, de sabres, de bâtons et de fusils, ils bousculent toutes les forces qui leur sont opposées. Quelques-uns des leurs ayant été tués par des grenadiers de la 1re légion de la garde nationale [2] (surtout composée de fabricants), les manifestants remontent la Grand'Côte et soulèvent la Croix-Rousse [3]. « Aux Armes ! on assassine nos frères ! » Les ouvriers dressent des barricades, creusent des tranchées. Faute de munitions, ils fabriquent des balles en coulant dans des dés à coudre le plomb qu'ils arrachent aux métiers Jacquard [4]. Ils s'emparent de deux pièces d'artillerie. Ils ne peuvent les utiliser. Qu'importe ! elles renforceront les barricades. C'est à ce moment qu'apparaît sur le drapeau noir [5] des canuts la fameuse inscription : « *Vivre en travaillant ou mourir en combattant.* » Au préfet qui tente de les haranguer les ouvriers répliquent : « Du travail ou la mort ! nous aimons mieux périr d'une balle que de faim. » La garde nationale, puis la troupe reculent. Le préfet et le général Ordonneau sont faits prisonniers.

Dans la nuit, le lieutenant-général, le comte Roguet, essaye de reconstituer ses forces. Au matin la garde nationale ne répond plus à l'appel du tambour. Les armuriers sont pillés. Les corps de garde sont occupés :

---

1. Novembre 1831. Les troubles ont commencé en septembre.
2. La garde nationale est une milice bourgeoise, composée des citoyens les plus riches. Elle est destinée à assurer la défense du régime de Louis-Philippe.
3. Célèbre quartier lyonnais construit sur une colline où travaillent les canuts.
4. Jacquard est un mécanicien français, né à Lyon, qui a inventé le métier à tisser (1752-1834). Il vivait encore pendant la révolte des canuts.
5. Le drapeau noir était le symbole de la révolte.

la caserne du Bon-Pasteur cède à l'assaut des ouvriers. Le combat n'est pas pour eux chose nouvelle : il y a parmi eux d'anciens soldats de Napoléon. Les « Volontaires du Rhône », qui s'étaient après Juillet 1830 organisés pour porter secours aux patriotes savoyards et qui avaient été arrêtés près de la frontière, fournissent souvent des cadres aux insurgés. Des détachements de la ligne et du génie fraternisent. Les enfants eux-mêmes prennent part au combat. Ils se glissent entre les chevaux et portent quelquefois aux cavaliers des coups mortels. A dix heures du matin, les insurgés se sont emparés des Brotteaux, de la Guillotière et de Saint-Just [1]. Côte des Carmélites, deux compagnies du 13e de ligne et 39 soldats du 40e sont encerclés et faits prisonniers.

C'est la fin.

« Les ouvriers l'ont emporté, *écrivent deux saint-simoniens lyonnais.* Hier, ils ont combattu avec un courage incroyable; rien ne donne une idée de leur acharnement au combat. Nous avions une idée bien fausse de ces gens que nous croyions sans énergie [2]; nous ne savions pas encore par expérience ce que sont des hommes qui combattent pour avoir du pain. »

Le 23 Novembre à deux heures du matin, le comte Roguet quitte la ville avec ce qui lui restait de troupes. C'est un exemple dont Thiers se souviendra au moment de la Commune. La bataille avait été rude, en tout environ 600 tués ou blessés. [...]

Blanqui évoque l'insurrection :

Les prolétaires, *s'écrie-t-il* [3], ne se sont-ils battus (en Juillet) que pour un changement d'effigie sur ces monnaies qu'ils voient si rarement? Sommes-nous à ce point curieux de médailles neuves que nous ren-

---

1. Quartiers de Lyon.
2. L'idée que les ouvriers sont sans énergie vient de l'armée, où les recrues ouvrières sont alors considérées comme plus faibles que les jeunes paysans. Les conseils de révision des années 1830-1840 doivent réformer de nombreux jeunes ouvriers, pour faiblesse de constitution.
3. Auguste Blanqui est un révolutionnaire célèbre du XIXe siècle, attiré par toutes les révoltes, particulièrement celles des ouvriers. Il était partisan de la prise du pouvoir violente par la classe ouvrière et de l'instauration d'une véritable dictature populaire.

versions des trônes pour nous passer cette fantaisie? C'est l'opinion d'un publiciste ministériel qui assure qu'en Juillet nous avons persisté à vouloir la monarchie constitutionnelle avec la variante de Louis-Philippe à la place de Charles X. Le peuple, selon lui, n'a pris part à la lutte que comme instrument des classes moyennes; c'est-à-dire que les prolétaires sont des gladiateurs qui tuent et se font tuer pour l'amusement et le profit des privilégiés, lesquels applaudissent des fenêtres... bien entendu la bataille finie... Quel abîme les événements de Lyon viennent de dévoiler aux yeux! Le pays entier s'est ému de pitié à la vue de cette armée de spectres à demi consumés par la faim, courant sur la mitraille pour mourir au moins d'un seul coup... Oui, ceci est la guerre entre les riches et les pauvres; les riches l'ont ainsi voulu, car ils sont les agresseurs. Seulement, ils trouvent mauvais que les pauvres fassent résistance; ils diraient volontiers en parlant du peuple : « Cet animal est si féroce qu'il se défend quand on l'attaque. »

BRUHAT, op. cit.

● **La chanson des Canuts**

> Le texte suivant est l'un des plus populaires de la chanson française de la révolte ouvrière. C'est la chanson des Canuts. Yves Montand l'a reprise dans son répertoire. Jean Bruhat la cite dans son ouvrage.

Pour chanter *VENI CREATOR*,
Il faut une chasuble d'or (bis)
Nous en tissons pour vous, gens de l'Église [1]
Mais nous, pauvres canuts n'avons pas de chemises.
  C'est nous les canuts
  Nous sommes tout nus (bis).

---

1. La révolution parisienne de 1830 était anticléricale : le peuple avait fait le sac de l'archevêché. L'entente entre l'Église et le pouvoir, sous la Restauration, avait fait renaître l'anticléricalisme. Les canuts en sont imprégnés.

H. DAUMIER : L'ÉMEUTE.

Pour gouverner, il faut avoir
Manteaux ou rubans en sautoir (bis)
Nous en tissons pour vous, grands de la terre [1]
Et nous, pauvres canuts, sans drap on nous enterre.
    C'est nous les canuts
    Nous sommes tout nus (bis).

Mais notre règne arrivera
Quand votre règne finira
Alors nous tisserons
Le linceul du vieux monde [2]
Car on entend déjà la révolte qui gronde
    C'est nous les canuts
    Nous n'irons plus tout nus.

Cité dans J. BRUHAT, op. cit.

● Le Catholicisme social

Les *Paroles d'un croyant* ont été publiées pour la première fois en 1834, peu après la révolte des canuts, suivie de diverses insurrections à Paris et de nouveau à Lyon. L'année même de la parution est une année sociale très agitée. Lamennais, entré jadis dans les ordres, était considéré comme le chef de file de la jeunesse catholique libérale, qui voulait désolidariser l'Église du Trône et de la société bourgeoise. Désavoué par le Pape en 1832, il avait quitté l'Église quand sortit son ouvrage. Il peut être considéré comme un des textes les plus marquants du catholicisme social.

Ne vous laissez pas tromper par de vaines paroles. Plusieurs chercheront à vous persuader que vous êtes vraiment libres, parce qu'ils auront écrit sur une feuille de papier le mot de liberté, et l'auront affiché à tous les carrefours.

La liberté n'est pas un placard qu'on lit au coin de la rue. Elle est une puissance vivante qu'on sent

---

1. L'expression n'est pas sans rappeler Saint-Simon : « vivre noblement ». Les « grands » sont à la fois les nobles et les prêtres, ceux qui commandent.
2. Le « vieux monde » est une expression typique de la mythologie de la révolte. Rapprocher de la parabole de Saint-Simon : « c'est le monde renversé ». Les canuts veulent lui « tisser son linceul ». Il y a du romantisme dans l'expression.

en soi, et autour de soi, le génie protecteur du foyer domestique, la garantie des droits sociaux et le premier de ces droits.

L'oppresseur qui se couvre de son nom est le pire des oppresseurs. Il joint le mensonge à la tyrannie, et à l'injustice la profanation; car le nom de la liberté est saint [1].

Gardez-vous donc de ceux qui disent : Liberté, Liberté, et qui la détruisent par leurs œuvres [2].

Est-ce vous qui choisissez ceux qui vous gouvernent [3], qui vous commandent de faire ceci et de ne pas faire cela, qui imposent vos biens, votre industrie, votre travail? Et si ce n'est pas vous, comment êtes-vous libres?

Pouvez-vous disposer de vos enfants comme vous l'entendez [4], confier à qui vous plaît le soin de les instruire et de former leurs mœurs? Et si vous ne le pouvez pas, comment êtes-vous libres?

Les oiseaux du ciel et les insectes mêmes s'assemblent pour faire en commun ce qu'aucun d'eux ne pourrait faire seul. Pouvez-vous vous assembler pour traiter ensemble de vos intérêts, pour défendre vos droits, pour obtenir quelque soulagement à vos maux? Et si vous ne le pouvez pas, comment êtes-vous libres [5]?

Pouvez-vous aller d'un lieu à un autre si on ne vous le permet, user des fruits de la terre et des productions de votre travail, tremper votre doigt dans l'eau de la mer et en laisser tomber une goutte dans le pauvre

---

1. Lamennais retrouve ainsi l'inspiration des premiers chrétiens, persécutés par le pouvoir. Il reprend le nom de Liberté, dans l'angoisse et la contradiction, puisque l'Église partage et profite du pouvoir.
2. C'est la définition du pharisaïsme : Louis-Philippe, qui a reconduit la Charte libérale de 1814, se réclame du libéralisme; mais, pour Lamennais, il n'en respecte pas l'esprit.
3. Peu de Français votent en 1834 : les plus riches seulement, ceux qui payent 100 francs d'impôt par an. C'est le suffrage « censitaire ». Les députés élus ne sont donc que les représentants d'une minorité de Français. Quant au pouvoir exécutif, il n'a même pas été attribué à un souverain élu : roi « des barricades », Louis-Philippe est monté sur le trône après une mise en scène « patriote » orchestrée par Thiers et ses amis du journal « le National ».
4. Lamennais est un partisan acharné de la liberté de l'enseignement. Le gouvernement de Louis-Philippe, avec Guizot, est au contraire d'avis qu'il faut instaurer peu à peu en France le monopole de l'État sur l'enseignement.
5. Lamennais fait ici allusion à la liberté syndicale, qui n'existe pas, alors. La loi Le Chapelier, toujours en vigueur, interdit les « coalitions » ouvrières au nom de la liberté des contrats. Le principe libéral est donc utilisé à des fins oppressives.

vase de terre où cuisent vos aliments, sans vous exposer à payer l'amende et à être traînés en prison? Et si vous ne le pouvez pas, comment êtes-vous libres?

Pouvez-vous en vous couchant le soir, vous répondre qu'on ne viendra point, durant votre sommeil, fouiller les lieux les plus secrets de votre maison, vous arracher du sein de votre famille et vous jeter au fond d'un cachot, parce que le pouvoir, dans sa peur, se sera défié de vous? [1] Et si vous ne le pouvez pas, comment êtes-vous libres?

La liberté luira sur vous, quand, à force de courage et de persévérance, vous vous serez affranchis de toutes ces servitudes.

La liberté luira sur vous quand vous aurez dit au fond de votre âme : nous voulons être libres; quand, pour le devenir, vous serez prêts à sacrifier tout et à tout souffrir.

La liberté luira sur vous, lorsqu'au pied de la Croix, sur laquelle le Christ mourut pour vous, vous aurez juré de mourir les uns pour les autres.

LAMENNAIS, *Paroles d'un croyant.*

Le peuple est incapable d'entendre ses intérêts; on doit, pour son bien, le tenir toujours en tutelle. N'est-ce pas à ceux qui ont des lumières de conduire ceux qui manquent de lumières?

Ainsi parlent une foule d'hypocrites qui veulent faire les affaires du peuple, afin de s'engraisser de la substance du peuple.

Vous êtes incapables, disent-ils, d'entendre vos intérêts; et sur cela, ils ne vous permettront pas même de disposer de ce qui est à vous pour un objet que vous jugerez utile; et ils en disposeront, contre votre gré, pour un autre objet qui vous déplaît et vous répugne.

Vous êtes incapables d'administrer une petite propriété commune, incapables de savoir ce qui vous est bon ou mauvais, de connaître vos besoins, et d'y pourvoir, et sur cela, on vous enverra des hommes

---

1. C'est l'*Habeas Corpus* anglais, qui protège la liberté individuelle des citoyens; il n'existe pas en France, dit Lamennais.

bien payés, à vos dépens, qui géreront vos biens à leur fantaisie, vous empêcheront de faire ce que vous voudrez, et vous forceront de faire ce que vous ne voudrez pas.

Vous êtes incapables de discerner quelle éducation il est convenable de donner à vos enfants; et par tendresse pour vos enfants, on les jettera dans des cloaques d'impiété et de mauvaises mœurs, à moins que vous n'aimiez mieux qu'ils demeurent privés de toute espèce d'instruction.

Vous êtes incapables de juger si vous pouvez, vous et votre famille, subsister avec le salaire qu'on vous accorde pour votre travail; et l'on vous défendra, sous des peines sévères, de vous concerter ensemble [1] pour obtenir une augmentation de ce salaire, afin que vous puissiez vivre vous, vos femmes et vos enfants.

Si ce que dit cette race hypocrite et avide était vrai, vous seriez bien au-dessous de la brute, car la brute sait tout ce qu'on affirme que vous ne savez pas, et elle n'a besoin que de l'instinct pour le savoir.

Dieu ne vous a pas faits pour être le troupeau de quelques autres hommes [2]. Il vous a faits pour vivre librement en société comme des frères. Or, un frère n'a rien à commander à son frère. Les frères se lient entre eux par des conventions mutuelles, et ces conventions, c'est la loi, et la loi doit être respectée, et tous doivent s'unir pour empêcher qu'on ne la viole, parce qu'elle est la sauvegarde de tous, la volonté et l'intérêt de tous [3].

Soyez hommes : nul n'est assez puissant pour vous atteler au joug malgré vous; mais vous pouvez passer la tête dans le collier, si vous le voulez.

Il y a des animaux stupides qu'on enferme dans des étables, qu'on nourrit pour le travail, et puis, lorsqu'ils vieillissent, qu'on engraisse pour manger leur chair.

Il y en a d'autres qui vivent dans les champs en liberté, qu'on ne peut plier à la servitude, qui ne se

---

1. C'est le droit syndical.
2. Pour Lamennais la conquête de la liberté sociale est un devoir chrétien. Le chrétien ne peut vivre dans l'oppression, humainement infamante.
3. La loi dont il s'agit est évidemment celle qui garantit les libertés publiques. Il faut la créer d'abord, la respecter ensuite.

laissent point séduire par des caresses trompeuses, ni vaincre par des menaces et de mauvais traitements.

Les hommes courageux ressemblent à ceux-ci : les lâches sont comme les premiers [...].

Ibid.

[...]

Gardez soigneusement en vos âmes la justice et la charité; elles seront votre sauvegarde, elles banniront d'au milieu de vous les discordes et les dissensions.

Ce qui produit les discordes et les dissensions, ce qui engendre les procès qui scandalisent les gens de bien et ruinent les familles, c'est premièrement l'intérêt sordide, la passion insatiable d'acquérir et de posséder [1].

Combattez donc sans cesse en vous cette passion que Satan y excite sans cesse.

Qu'emporterez-vous de toutes les richesses que vous aurez amassées par de bonnes et méchantes voies? Peu suffit à l'homme, qui vit si peu de temps.

Une autre cause de dissensions interminables, ce sont les mauvaises lois.

Or, il n'y a guère que de mauvaises lois dans le monde [2].

Quelle autre loi faut-il à celui qui a la loi du Christ?

La loi du Christ est claire, elle est sainte, et il n'est personne, s'il a cette loi dans le cœur, qui ne se juge lui-même aisément.

Écoutez ce qui m'a été dit :

Les enfants du Christ, s'ils ont entre eux quelques différends, ne doivent pas les porter devant les tribunaux de ceux qui oppriment la terre et qui la corrompent.

N'y a-t-il pas des vieillards parmi eux? et ces vieillards ne sont-ils pas leurs pères, connaissant la justice et l'aimant?

Qu'ils aillent donc trouver un de ces vieillards, et qu'ils lui disent : Mon père, nous n'avons pu nous

---

1. On retrouve ici la condamnation formelle de l'argent et de la célèbre formule de Guizot : « enrichissez-vous ». La richesse ne crée pas le bonheur, si elle est contraire à la dignité et à la justice.

2. Il faut donc les changer. La pensée de Lamennais n'est pas résignée, elle est révolutionnaire.

accorder, moi et mon frère que voilà; nous vous en prions, jugez entre nous.

Et le vieillard écoutera les paroles de l'un et de l'autre, et il jugera entre eux, et ayant jugé il les bénira.

Et s'ils se soumettent à ce jugement, la bénédiction demeurera sur eux : sinon elle reviendra au vieillard, qui aura jugé selon la justice.

Il n'est rien que ne puissent ceux qui sont unis, soit pour le bien, soit pour le mal. Le jour donc où vous serez unis sera le jour de votre délivrance.

Lorsque les enfants d'Israël étaient opprimés dans la terre d'Égypte, si chacun d'eux, oubliant ses frères, avait voulu en sortir seul, pas un n'aurait échappé; ils sortirent tous ensemble, et nul ne les arrêta.

Vous êtes aussi dans la terre d'Égypte, courbés sous le sceptre de Pharaon et sous le fouet de ses exacteurs. Criez vers le Seigneur votre Dieu, et puis levez-vous et sortez ensemble [1].

Ibid.

● Le lyrisme de la révolte

L'idéologie de la révolte n'est pas limitée aux penseurs « sociaux » ou « socialistes ». Elle inspire, dès avant 1848, un certain lyrisme. Le drame de Musset, *Lorenzaccio*, a été écrit en 1833 et publié pour la première fois en août 1834. C'est l'histoire d'une conjuration italienne dans la Florence des Médicis. Le personnage principal, Lorenzo, où les critiques ont reconnu Musset lui-même, est un révolté d'une nature particulière : débauché, il aime la vertu; lâche et veule, il aime l'héroïsme, rêve d'être un Brutus; cynique et pervers, il croit à l'amour; ami des républicains, il ne croit pas à la République. Ce personnage paradoxal est l'image même de la révolte romantique contre les forces mauvaises de la vie qui menacent et ternissent la poésie, la fraîcheur, le bonheur.

1. Le livre de Lamennais se termine sur cet appel à la révolte. La pensée chrétienne sociale jouera un grand rôle dans les journées révolutionnaires de 1848 qui ne seront plus, comme celles de 1830, anticléricales.

Lorenzo se révolte contre le vice et la vertu, la société et l'individu, l'argent et la pauvreté, contre le juste et l'injuste. Il se révolte contre le monde entier, au nom d'une sorte de lyrisme du désespoir, comme si rien de beau, de noble et de grand ne pouvait se réaliser sur terre, sinon dans la crispation de l'acte poétique, qui, dans le cas de Lorenzo, correspond précisément à l'acte de l'assassin.

Inutile d'ajouter que le drame n'a pu être représenté ni sous la Monarchie de Juillet ni sous le Second Empire. Il faut attendre 1896 pour voir la première représentation : Sarah Bernhardt jouait en travesti le rôle de Lorenzo.

PHILIPPE. — Quel abîme! quel abîme tu m'ouvres.

LORENZO. — Tu me demandes pourquoi je tue Alexandre [1]? Veux-tu donc que je m'empoisonne, ou que je saute dans l'Arno [2]? Veux-tu donc que je sois un spectre, et qu'en frappant sur ce squelette (il frappe sa poitrine), il n'en sorte aucun son? Si je suis l'ombre de moi-même veux-tu donc que je rompe le seul fil qui rattache aujourd'hui mon cœur à quelques fibres de mon cœur d'autrefois? Songes-tu que ce meurtre, c'est tout ce qui me reste de ma vertu [3]? Songes-tu que je glisse depuis deux ans sur un rocher taillé à pic, et que ce meurtre est le seul brin d'herbe où j'ai pu cramponner mes ongles? Crois-tu donc que je n'ai plus d'orgueil, parce que je n'ai plus de honte? et veux-tu que je laisse mourir en silence l'énigme de ma vie [4]? Oui, cela est certain, si je pouvais revenir à la vertu, si mon apprentissage du vice pouvait s'évanouir, j'épargnerais peut-être ce conducteur de bœufs. Mais j'aime le vin, le jeu et les filles; comprends-tu cela? Si tu honores en moi quelque chose, toi qui me parles, c'est mon meurtre que tu honores, peut-être justement parce que tu ne le ferais

---

1. Philippe est un des chefs du parti républicain à Florence. Alexandre est le duc de Florence. C'est un tyran débauché que Lorenzo veut assassiner.
2. Rivière de Florence.
3. Lorenzo est lui-même un débauché, très impopulaire à Florence parce que familier du duc.
4. Formule romantique. L'assassinat est pour Lorenzo le seul moyen de donner à sa vie un sens, de l'humaniser.

pas. Voilà assez longtemps, vois-tu, que les républicains me couvrent de boue et d'infamie[1]; voilà assez longtemps que les oreilles me tintent, et que l'exécration des hommes empoisonne le pain que je mâche; j'en ai assez de me voir conspué par des lâches sans nom, qui m'accablent d'injures pour se dispenser de m'assommer comme ils devraient. J'en ai assez d'entendre brailler en plein vent le bavardage humain; il faut que le monde sache un peu qui je suis, et qui il est. Dieu merci, c'est peut-être demain que je tue Alexandre; dans deux jours j'aurai fini. Ceux qui tournent autour de moi avec des yeux louches, comme autour d'une curiosité monstrueuse apportée d'Amérique, pourront satisfaire leur gosier et vider leur sac à paroles. Que les hommes me comprennent ou non, qu'ils agissent ou n'agissent pas, j'aurai dit tout ce que j'ai à dire[2]; je leur ferai tailler leurs plumes, si je ne leur fais pas nettoyer leurs piques, et l'humanité gardera sur sa joue le soufflet de mon épée marqué en traits de sang. Qu'ils m'appellent comme ils voudront, Brutus ou Erostrate[3], il ne me plaît pas qu'ils m'oublient. Ma vie entière est au bout de ma dague, et que la Providence retourne ou non la tête, en m'entendant frapper, je jette la nature humaine à pile ou face sur la tombe d'Alexandre; dans deux jours les hommes comparaîtront devant le tribunal de ma volonté.

Musset, *Lorenzaccio*, acte III, scène III.

---

1. Les Républicains (vertueux) haïssent en lui, non seulement le familier du duc, mais le débauché, le frippon.
2. La dernière partie du texte peut être considérée comme la profession de foi d'un héros nihiliste, comme l'apologie du crime politique individuel, qui n'a d'autre justification que poétique.
3. Célèbres tueurs de tyrans de l'antiquité.

— Le héros de Musset, Lorenzo, prétend justifier son acte par une alternative : il tue le duc, ou il se tue, désespéré. Comment expliquez-vous cette alternative ? N'est-elle pas caractéristique d'un certain romantisme de la révolte ?

— Pourquoi la « vertu » joue-t-elle un tel rôle dans l'imagination du jeune Lorenzo ? Pourquoi tient-il tant à sa « vertu »? Faut-il comprendre le mot dans son sens du XVIIIe siècle? Faut-il lui donner la signification qu'il avait dans Machiavel, de passion, de force, de but vital?

— Pourquoi la vie de Lorenzo est-elle une énigme? En quoi ce monologue a-t-il des accents modernes? Pourquoi le héros romantique est-il désespéré?

— Pourquoi les Républicains couvrent-ils Lorenzo « de boue et d'infamie »?

— Pourquoi Lorenzo constitue-t-il, pour ses compatriotes et même pour ses amis, une « curiosité »? Qu'est-ce qui donne à son « isolement » une sorte de hauteur orgueilleuse? Analysez les motivations de sa révolte intérieure.

— Analysez la fin de la tirade : quelle signification le jeune homme donne-t-il à son acte? Est-elle politique? Morale? Métaphysique?

● Tocqueville prédit la Révolution

Tocqueville est un des plus célèbres écrivains politiques de la Monarchie de Juillet. Dans *De la Démocratie en Amérique* (1840) il montrait que l'évolution des sociétés occidentales allait inévitablement vers la démocratie. Ce libéral s'inquiétait de l'avenir de son pays, devant la montée des revendications sociales que le gouvernement de Louis-Philippe ne songeait nullement à satisfaire. Ce texte du 29 janvier 1848 prédit à quelques semaines, la révolte de février, avec une grande lucidité :

On dit qu'il n'y a point de péril, parce qu'il n'y a pas d'émeute; on dit que, comme il n'y a pas de désordre matériel à la surface de la société, les révolutions sont loin de nous [1].

Permettez-moi de vous dire que je crois que vous vous trompez. Sans doute, le désordre n'est pas dans les faits, mais il est entré bien profondément dans les esprits. Regardez ce qui se passe au sein de ces classes ouvrières, qui, aujourd'hui, je le reconnais, sont tranquilles... Mais ne voyez-vous pas que leurs passions, de politiques sont devenues sociales? Ne voyez-vous pas qu'il se répand peu à peu dans leur

---

1. C'est l'opinion de Guizot. Il pense que peu à peu, grâce à l'enrichissement, la société française évoluera naturellement vers la démocratie, sans secousses révolutionnaires.

sein des opinions, des idées qui ne tendent point seulement à renverser telles lois, tel ministère, tel gouvernement même, mais la société, à l'ébranler sur les bases sur lesquelles elle repose aujourd'hui? N'entendez-vous pas qu'on y répète sans cesse que tout ce qui se trouve au-dessus d'elles est incapable et indigne de gouverner [1]; que la division des biens faite jusqu'à présent dans le monde est injuste [2], que la propriété repose sur des bases qui ne sont pas les bases équitables?

TOCQUEVILLE, discours du 29 janvier 1848 à la Chambre des Députés.

● Le manifeste des Soixante

Le Second Empire abolit les révoltes. « L'Empire, c'est la paix », disait Napoléon III. La première révolution industrielle, le vaste mouvement social et économique, presque démographique, qui affecte la France des années 1850-1870 enlève au climat social, pendant les premières années du moins, beaucoup de son âpreté. De nouveaux types d'ouvriers se créent, qui vont imaginer de nouvelles formes de révolte, celles des années 1869-1870, celles de *Germinal* et de la *Commune de Paris* : les grandes grèves sanglantes, et en définitive le soulèvement de ces nouveaux « prolétaires » enfin rassemblés en immenses usines.

Les vieux ouvriers, les survivants de la première moitié du siècle sont sensiblement assagis sous l'Empire, qui tente de les intégrer dans les forces politiques en leur donnant, en 1864, le droit de grève. Ils profitent de ces dispositions du pouvoir pour établir un texte, le *Manifeste des Soixante* qui est moins la charte de la révolte que celle de la non-révolte, définissant les conditions de possibilité d'intégration des ouvriers à la société. La non-satisfaction des principaux articles de ce texte explique largement les grandes grèves sanglantes de la fin de l'Empire et l'explosion de 1871.

---

1. Ces idées viennent de Saint-Simon : le comte voulait substituer les « nouvelles capacités » aux classes sociales usées dans le gouvernement des hommes et des entreprises.
2. C'est la critique proudhonienne : « la propriété c'est le vol »!

... Un fait démontre, d'une façon péremptoire et douloureuse, les difficultés de la position des ouvriers.

Dans un pays dont la constitution repose sur le suffrage universel, dans un pays où chacun invoque et prône les principes de 89, nous sommes obligés de justifier des candidatures ouvrières [1], de dire minutieusement, longuement, les comment, les pourquoi, et cela pour éviter, non seulement les occasions injustes des timides et des conservateurs à outrance, mais encore les craintes et les répugnances de nos amis.

Le suffrage universel nous a rendus majeurs politiquement, mais il nous reste encore à nous émanciper socialement. La liberté que le Tiers-État [2] sut conquérir avec tant de vigueur et de persévérance doit s'étendre en France, pays démocratique, à tous les citoyens. Droit politique égal implique nécessairement un égal droit social. On a répété à satiété : « il n'y a plus de classes; depuis 1789, tous les Français sont égaux devant la loi ».

Mais nous qui n'avons d'autre propriété que nos bras, nous qui subissons tous les jours les conditions légitimes ou arbitraires du capital, nous qui vivons sous des lois exceptionnelles, telles que la loi sur les coalitions [3] et l'article 1781, qui portent atteinte à nos intérêts en même temps qu'à notre dignité, il nous est bien difficile de croire à cette affirmation.

Nous qui, dans un pays où nous avons le droit de nommer les députés, n'avons pas toujours le droit d'apprendre à lire [4]; nous qui, faute de pouvoir nous réunir, nous associer librement, sommes impuissants pour organiser l'instruction professionnelle, et qui voyons ce précieux instrument du progrès industriel devenir le privilège du capital, nous ne pouvons nous faire cette illusion.

---

1. Les candidatures aux élections. Les « Soixante », qui sont des syndicalistes réformistes comme Tolain, voudraient, en somme, créer un parti ouvrier français comme le *Labour Party* britannique.

2. En 1789.

3. Il s'agit de la loi Le Chapelier, interdisant les coalitions. La loi de 1864 instaurant le droit de grève n'est pas encore promulguée.

4. L'instruction n'est ni gratuite ni obligatoire. La France est un pays en partie illettré sous l'Empire, particulièrement dans les nouveaux milieux ouvriers, qui n'ont, dans les banlieues des grandes villes, ni écoles ni installations publiques.

Nous, dont les enfants passent souvent leurs plus jeunes ans dans le milieu démoralisant et malsain des fabriques, ou dans l'apprentissage, qui n'est guère encore aujourd'hui qu'un état voisin de la domesticité, nous, dont les femmes désertent forcément le foyer pour un travail excessif, contraire à la nature et détruisant la famille, nous qui n'avons pas le droit de nous entendre pacifiquement pour défendre notre salaire, pour nous assurer contre le chômage, nous affirmons que l'égalité écrite dans la loi n'est pas dans les mœurs et qu'elle est encore à réaliser dans les faits. Ceux qui, dépourvus d'instruction et de capital ne peuvent résister par la liberté et la solidarité à des exigences égoïstes et oppressives, ceux-là subissent fatalement la domination du capital : leurs intérêts restent subordonnés à d'autres intérêts.

Le Tiers-État disait : « Qu'est-ce que le Tiers-État? Rien! Que doit-il être? Tout! » Nous ne dirons pas : « Qu'est-ce que l'ouvrier? Rien! Que doit-il être? Tout! » Mais nous dirons : la bourgeoisie, notre aînée en émancipation, sut en 89, absorber la noblesse et détruire d'injustes privilèges; il s'agit pour nous, non de détruire les droits dont jouissent justement les classes moyennes, mais de conquérir la liberté d'action[1]...

Qu'on ne nous accuse point de rêver lois agraires, égalité chimérique, qui mettrait chacun sur un lit de Procuste, partage maximum, impôt forcé, etc, etc... Non! il est grand temps d'en finir avec ces calomnies propagées par nos ennemis et adoptées par des ignorants. La liberté du travail[2], le crédit[3], la solidarité[4], voilà nos rêves. Le jour où ils se réaliseront pour la gloire et la prospérité du pays qui nous est cher, il n'y aura plus ni bourgeois, ni prolétaires, ni patrons ni ouvriers. Tous les citoyens seront égaux en droit.

---

1. Les « Soixante » sont en somme désireux d'atteindre leurs objectifs dans le contexte d'un régime libéral, dans la légalité impériale.
2. Il s'agit, bien sûr, de la liberté de trouver du travail et d'en changer si cela est nécessaire.
3. On reconnaît dans cette préoccupation un des thèmes majeurs de Proudhon : permettre à l'ouvrier, grâce au crédit, d'accéder à un niveau de vie convenable et surtout de participer effectivement au capitalisme.
4. Vieille notion ouvrière du xixᵉ siècle : il existe des « caisses de solidarité » jouant pour la grève, les accidents, la maladie, encore appelées « caisses de secours ».

Mais, nous dit-on, toutes ces réformes dont vous avez besoin, les députés élus peuvent les demander comme vous, mieux que vous; ils sont les représentants de tous et par tous nommés.

Eh bien, nous répondons : Non ! Nous ne sommes pas représentés, et voilà pourquoi nous posons cette question des candidatures ouvrières.

Nous ne sommes point représentés; car, dans une séance récente du Corps Législatif, il y eut une manifestation unanime de sympathie en faveur de la classe ouvrière, mais aucune voix ne s'éleva pour formuler comme nous les entendons, avec modération, mais avec fermeté, nos aspirations, nos désirs et nos droits...

Non, nous ne sommes pas représentés; car personne n'a dit que l'esprit d'antagonisme s'affaiblissait tous les jours, dans les classes populaires. Éclairés par l'expérience, nous ne haïssons pas les hommes, mais nous voulons changer les choses. Personne n'a dit que la loi sur les coalitions n'était plus qu'un épouvantail et qu'au lieu de faire cesser le mal, elle le perpétuait en fermant toute issue à celui qui se croit opprimé.

Non, nous ne sommes pas représentés; car, dans la question des Chambres syndicales, une étrange confusion s'est établie dans l'esprit de ceux qui les recommandaient. Suivant eux, la chambre syndicale serait composée de patrons et d'ouvriers, sortes de prud'hommes professionnels arbitres chargés de décider au jour le jour sur les questions qui surgissent. Or, ce que nous demandons, c'est une Chambre composée exclusivement d'ouvriers, élus par le suffrage universel, une Chambre du Travail pourrions-nous dire par l'analogie avec la Chambre de Commerce; et on nous répond par un tribunal...

A moins de nier l'évidence, on doit reconnaître qu'il existe une classe spéciale de citoyens ayant besoin d'une représentation directe, puisque l'enceinte du Corps législatif est le seul endroit où les ouvriers pourraient dignement et librement exprimer leurs vœux et réclamer pour eux la part de droits dont jouissent les autres citoyens...

L'Opinion Nationale, 17 Février 1864, *Le Manifeste des soixante.*

● Un professionnel de la révolte : Bakounine

Révolutionnaire russe (1814-1876), Bakounine est en même temps un professionnel de la révolte et un doctrinaire de la Première Internationale. Violent adversaire de Marx il est avec Proudhon un des pères de l'anarchie. Dans ce texte il explique pourquoi la révolte de l'État est sans doute légitime, mais qu'une révolte plus profonde s'impose, si l'on veut vraiment changer le monde.

La révolte contre cette influence naturelle de la société est beaucoup plus difficile pour l'individu que la révolte contre la société officiellement organisée, contre l'État, quoique souvent elle soit tout aussi inévitable que cette dernière. La tyrannie sociale, souvent écrasante et funeste, ne présente pas ce caractère de violence impérative, de despotisme légalisé et formel qui distingue l'autorité de l'État [1]. Elle ne s'impose pas comme une loi à laquelle tout individu est forcé de se soumettre sous peine d'encourir un châtiment juridique. Son action est plus douce, plus insinuante, plus imperceptible; mais d'autant plus puissante... pour se révolter contre cette influence que la société exerce naturellement sur lui, l'homme doit au moins en partie se révolter contre lui-même, car avec toutes ses tendances et aspirations matérielles, intellectuelles et morales, il n'est lui-même rien que le produit de la société.

(...) Une révolte radicale contre la société serait... aussi impossible pour l'homme qu'une révolte contre la nature.

(...) La révolte est beaucoup plus facile contre l'État, parce qu'il y a dans la nature même de l'État quelque chose qui provoque à la révolte. L'État c'est l'autorité, c'est la force, c'est l'ostentation et l'infa-

---

1. La destruction de « l'appareil de l'État », c'est-à-dire la révolte contre l'État bourgeois, apparaît dans Lénine et dans Bakounine comme un devoir. Mais Lénine veut instaurer, immédiatement après la révolution, la « dictature du prolétariat » créer, en somme, un nouvel État prolétarien, qui ne doit « dépérir » qu'au fur et à mesure de la « construction du socialisme ». Pour Bakounine, tous les États se valent, et ce n'est pas en lui faisant construire un nouvel État qu'on affranchira le prolétariat.

tuation de la force. Il ne s'insinue pas, il ne cherche pas à convertir : et toutes les fois qu'il s'en mêle, il le fait de très mauvaise grâce ; car sa nature, ce n'est point de persuader, mais de s'imposer, de forcer. Quelque peine qu'il se donne pour masquer cette nature comme le violateur légal de la volonté des hommes, comme la négation permanente de leur liberté.

(...) L'immense majorité des individus humains... ne veulent et ne pensent que ce que tout le monde autour d'eux veut et pense, ils croient sans doute vouloir et penser eux-mêmes, mais ils ne font que reparaître servilement, routinièrement, avec des modifications tout à fait imperceptibles et nulles, les pensées et les volontés d'autrui. Cette servilité, cette routine, sources intarissables du lieu-commun, cette absence de révolte dans la volonté et cette absence d'initiative dans la pensée des individus sont les causes principales de la lenteur désolante du développement historique de l'humanité [1].

BAKOUNINE, *Œuvres*, I.

● **L'adolescence d'un révolutionnaire**

Né en Ukraine en 1879, assassiné au Mexique en 1940, Léon Trotsky est le théoricien de la « révolution permanente », exilé par Staline en 1929, mort en exil par ses soins. Il adhère très jeune au mouvement révolutionnaire, à Odessa où il fait ses études. Il est déporté en Sibérie à 23 ans. Il s'évade, rejoint Lénine à Londres. Il participe au mouvement de 1905. De nouveau déporté il joue un rôle capital dans la grande révolution d'octobre, et surtout dans les années 1918-1922, où il anime, comme commissaire à la Guerre, la résistance bolchevique aux armées blanches.

---

1. Bakounine suggère qu'il est nécessaire de se révolter d'abord contre la part d'« autorité » que chacun porte inconsciemment en soi et qui lui est transmise par la société. Pas de révolution véritable sans cette libération intérieure.

> Dans ce texte Trotsky explique comment le jeune étudiant qu'il était sent monter en lui la révolte qui le pousse à préparer la révolution. Mais on ne fait pas la révolution tout seul : il part à la recherche d'amis, de partisans, d'ouvriers...

Dans ma voie, je parvins au premier grand carrefour, étant encore peu préparé au sens politique, même pour un jeune homme de dix-sept ans. Trop de problèmes se posèrent simultanément et brusquement devant moi, problèmes que je n'avais pas étudiés d'une façon suivie et dans l'ordre où ils se posaient. Je sautais de l'un à l'autre. Ce qu'il y a seulement de certain, c'est que, dans ma conscience, la vie avait déjà déposé une forte réserve d'idées sociales protestataires. En quoi consistaient-elles? En sympathies pour les opprimés, en indignations devant les injustices. Et ce dernier sentiment était peut-être le plus fort. De toutes les impressions que j'ai gardées de la vie quotidienne, depuis ma première enfance, celle de l'inégalité entre les hommes se distinguait par des aspects exceptionnellement grossiers et étalés; l'injustice prenait fréquemment les airs d'une insolence qui ne craint pas de châtiment; la dignité humaine était à tout instant foulée aux pieds. Il suffit ici de rappeler que l'on fustigeait des paysans. Tout cela me frappait vivement, avant l'assimilation d'aucune théorie, et créait une réserve d'impressions dont la force explosive devait être grande, c'est peut-être précisément pour cela que j'ai semblé hésiter un certain temps devant les grandes déductions que j'avais à tirer nécessairement des observations de la première période de ma vie [...].
[...].
En février 1897, Vétrova, étudiante des cours supérieurs, emprisonnée dans la forteresse Pierre-et-Paul, se suicida en mettant le feu à ses vêtements. Ce drame qui n'a jamais été expliqué secoua tout le monde. Il y eut des troubles dans les villes universitaires. Les arrestations et les déportations devinrent de plus en plus nombreuses.
J'accédai au travail révolutionnaire avec l'accompa-

gnement des manifestations provoquées par l'affaire Vétrova.

Voici comment cela se passa :

Je suivais une rue avec le plus jeune de notre commune, Grigori Sokolovsky, qui était à peu près de mon âge.

« Il faudrait tout de même que nous commencions, nous aussi, lui dis-je.

— Il faudrait commencer, répondit Sokolovsky.

— Mais comment?

— Voilà justement : comment?

— Il faudrait trouver des ouvriers, n'attendre personne, ne demander rien à personne, mais trouver des ouvriers et commencer.

— Je pense qu'on peut en trouver, dit Sokolovsky. Je connaissais autrefois un gardien sur le boulevard, un érudit de la Bible [1]. Je vais le voir. »

Le même jour, Sokolovsky se rendit chez le connaisseur de la Bible. Il y avait longtemps qu'il avait quitté les lieux. Sokolovsky ne trouva qu'une femme qui avait une connaissance elle aussi : un autre sectateur [2]. Par l'intermédiaire de cet individu connu d'une femme que nous ne connaissions pas, Sokolovsky, dans la même journée, fit connaissance avec plusieurs ouvriers, parmi lesquels l'électricien Ivan Andréévitch Moukhine qui devint bientôt le principal personnage de l'organisation.

Sokolovsky revint de ses recherches les yeux brillants :

« Ça c'est des hommes, c'est des hommes!... »

Léon TROTSKY, *Ma Vie*, éd. Gallimard.

● **Condamnation de l'ordre bourgeois**

Poursuivi pour ses *Fleurs du Mal* par la justice impériale et morale, Charles Baudelaire condamne à son tour la société française du Second Empire dans ce qu'elle a de matériel, de « glouton », d'hypocrite, de cynique.

1. Membre d'une société religieuse.
2. Membre d'une secte.

Ce texte de *Fusées* exprime la révolte de la création contre l'ordre bourgeois, de l'imagination libre contre le culte de l'argent. Texte d'anticipation, il prédit l'écrasement, par le progrès matériel, de toute poésie et de tout sentiment vrai.

Ce n'est pas particulièrement par des institutions politiques que se manifestera la ruine universelle ou le progrès universel [1] (...) ce sera par l'avilissement des cœurs. (...) — Alors, le fils fuira la famille, non pas à dix-huit ans, à douze, émancipé par sa précocité gloutonne; il la fuira, non pas pour chercher des aventures héroïques, non pas pour délivrer une beauté prisonnière dans une tour (...), mais pour fonder un commerce, pour s'enrichir, et pour faire concurrence à son infâme papa, — fondateur et actionnaire d'un journal qui répandra les lumières et qui ferait considérer le « Siècle » [2] d'alors comme un suppôt de la superstition. — Alors les errantes, les déclassées, celles qui ont eu quelques amants, et qu'on appelle des Anges, en raison et en remerciement de l'étourderie qui brille, lumière de hasard, dans leur existence logique comme le mal, — alors celles-là, dis-je, ne seront plus qu'impitoyable sagesse, sagesse qui condamnera tout, fors l'argent, tout, même les « erreurs des sens »! Alors, ce qui ressemblera à la vertu, — que dis-je, — tout ce qui ne sera pas l'ardeur vers Plutus [3] sera réputé un immense ridicule. La justice, si, à cette époque fortunée, il peut encore exister une justice, fera interdire les citoyens qui ne sauront pas faire fortune, — ton épouse, ô bourgeois! ta chaste moitié dont la légitimité fait pour toi la poésie, introduisant désormais dans la légalité d'une infâmie irréprochable, gardienne vigilante et amoureuse de ton coffre-fort, ne sera plus que l'idéal parfait de la femme entretenue. Ta fille, avec une nubilité enfantine rêvera dans son berceau, qu'elle se vend un

---

1. Pour Baudelaire, ruine et progrès sont synonymes, dès lors que le progrès écrase l'homme sous le poids d'un matérialisme vulgaire.
2. Le « Siècle » est le journal progressiste de l'époque.
3. Vers l'argent : Plutus est le dieu de l'argent.

million. Et toi-même, ô Bourgeois, — moins poète
encore que tu n'es aujourd'hui, — tu n'y trouveras
rien à redire; tu ne regretteras rien.

BAUDELAIRE, *Fusées.*

● **Révolte d'un poète**

Les 136 poèmes du recueil de Baudelaire, *Les Fleurs
du Mal*, furent publiés sous l'Empire en 1857. Le poète
fut poursuivi et condamné au nom de la morale et de la
religion. « L'enseignement philosophique fait boire à la
jeunesse du fiel de dragon dans le calice de Babylone »
disait alors le Pape. Et Napoléon III, défenseur de l'ordre
moral, ne pouvait manquer de désapprouver la révolte
de Baudelaire.

Cette révolte est en effet dirigée à la fois contre la
société de l'argent et contre les valeurs morales et religieuses de cette société. Père des « poètes maudits »,
Baudelaire tient que la souffrance est une insulte suffisante à Dieu et qu'elle remet en question l'Évangile.
La morale n'existe pas, la religion est une duperie parce
qu'elle est la religion des riches, des satisfaits, des pha-
risiens.

Nous avons choisi deux poèmes pour illustrer la
révolte : le premier *Le reniement de Saint Pierre* dé-sacra-
lise l'Évangile : c'est une violente provocation. Le
deuxième, *Abel et Caïn* est une suite continue d'insultes
contre les bourgeois du siècle.

LE RENIEMENT DE SAINT PIERRE

Qu'est-ce que Dieu fait donc de ce flot d'anathèmes
Qui monte tous les jours vers ses chers Séraphins?
Comme un tyran gorgé de viandes et de vins,
Il s'endort au doux bruit de nos affreux blasphèmes [1].

---

1. Le poème est une protestation, une révolte continue contre le mal. Il est
choquant que le mal ne choque pas Dieu.

Les sanglots des martyrs et des suppliciés
Sont une symphonie enivrante sans doute,
Puisque, malgré le sang que leur volupté coûte,
Les cieux ne s'en sont point encor rassasiés !

— Ah ! Jésus, souviens-toi du Jardin des Olives !
Dans ta simplicité tu priais à genoux
Celui qui dans son ciel riait au bruit des clous
Que d'ignobles bourreaux plantaient dans tes chairs
                                                    vives,

Lorsque tu vis cracher sur ta divinité
La crapule du corps de garde et des cuisines,
Et lorsque tu sentis s'enfoncer les épines
Dans ton crâne où vivait l'immense Humanité [1] ;

Quand de ton corps brisé la pesanteur horrible
Allongeait tes deux bras distendus, que ton sang
Et ta sueur coulaient de ton front pâlissant,
Quans tu fus devant tous posé comme une cible,

Rêvais-tu de ces jours si brillants et si beaux
Où tu vins pour remplir l'éternelle promesse,
Où tu foulais, monté sur une douce ânesse,
Des chemins tout jonchés de fleurs et de rameaux,

Où, le cœur tout gonflé d'espoir et de vaillance,
Tu fouettais tous ces vils marchands à tour de bras,
Où tu fus maître enfin ? Le remords n'a-t-il pas
Pénétré dans ton flanc plus avant que la lance ?

— Certes, je sortirai, quant à moi, satisfait
D'un monde où l'action n'est pas la sœur du rêve ;
Puissé-je user du glaive et périr par le glaive !
Saint Pierre a renié Jésus... il a bien fait [2] !

BAUDELAIRE, *Les Fleurs du Mal.*

---

1. Vision romantique : à rapprocher de *Melancholia*, de Hugo.
2. Le dernier vers est une provocation lapidaire.

ABEL ET CAIN

I

Race d'Abel, dors, bois et mange;
Dieu te sourit complaisamment.

Race de Caïn, dans la fange
Rampe et meurs misérablement [1].

Race d'Abel, ton sacrifice
Flatte le nez du Séraphin!

Race de Caïn, ton supplice
Aura-t-il jamais une fin?

Race d'Abel, vois tes semailles
Et ton bétail venir à bien;

Race de Caïn, tes entrailles
Hurlent la faim comme un vieux chien.

Race d'Abel, chauffe ton ventre
A ton foyer patriarcal [2];

Race de Caïn, dans ton antre
Tremble de froid, pauvre chacal!

Race d'Abel, aime et pullule!
Ton or aussi fait des petits [3].

Race de Caïn, cœur qui brûle,
Prends garde à ces grands appétits.

Race d'Abel, tu crois et broutes
Comme les punaises des bois!

Race de Caïn, sur les routes
Traîne ta famille aux abois.

---

1. La condamnation du mal est d'autant plus révoltante que le bien peut être oppressif.
2. Le mot « patriarcal » a quelque chose d'insultant.
3. La métaphore est claire : Abel est un bourgeois.

II

Ah! race d'Abel, ta charogne
Engraissera le sol fumant!

Race de Caïn, ta besogne
N'est pas faite suffisamment;

Race d'Abel, voici ta honte :
Le fer est vaincu par l'épieu!

Race de Caïn, au ciel monte,
Et sur la terre jette Dieu!

BAUDELAIRE, Les Fleurs du Mal.

● **Témoignage d'un insurgé**

Écrivain, ancien journaliste sous la Commune de Paris, lui-même engagé dans le combat communaliste, Jules Vallès alias Jacques Vingtras a laissé dans *L'Insurgé* le témoignage de sa révolte. Il raconte comment, sous l'Empire, il prêche la révolte anarchiste en parlant littérature à des bourgeois républicains qui veulent seulement changer de régime politique. Il raconte ensuite, avec la plume vivante du journaliste, le premier moment de la grande révolte parisienne.

La mode est aux conférences : Beauvallet, doit lire *Hernani* au Casino-Cadet [1].

Séance solennelle! GREAT ATTRACTION! C'est une protestation contre l'Empire, en l'honneur du poète des *Châtiments*.

Mais il faudra, comme au cirque, un artiste d'ordre inférieur, clown ou singe, de ceux qui, après le grand exercice occupent la piste, tandis que l'on reprend les chapeaux et que l'on fait appeler les voitures.

On m'a offert d'être le singe; j'ai accepté [...].
[...].

---

1. Nous sommes en 1865. Jules Vallès va faire une conférence sur Balzac dans la salle du Grand-Orient.
Beauvallet est un acteur de la Comédie-Française mort en 1873.

Le jour de la représentation est venu — le Maître et le singe ont leurs noms accolés sur le programme.

Il y aura du monde. Les vieilles barbes de 48 seront là pour se retrousser contre Bonaparte [1], chaque fois qu'un hémistiche prêtera à une allusion républicaine. Il y aura aussi toute la jeune opposition : des journalistes, des avocats, des bas-bleus qui, de leur jarretière, étrangleraient l'empereur s'il tombait sous leurs griffes roses, et qui ont mis leur chapeau des dimanches en bataille.

Mais, de loin, je vois qu'on se pousse devant la porte du Grand-Orient, autour d'un homme qui colle sur l'affiche une bande fraîche.

Que se passe-t-il? [...].

On a interdit la lecture du drame d'Hugo, et les organisateurs annoncent que l'on remplacera *Hernani* par *Le Cid*.

Beaucoup s'en vont, après avoir dédaigneusement épelé mes quatre syllabes... qui ne leur disent rien.

« Jacques Vingtras [2]?

— Connais pas. »

Personne ne connaît, sauf quelques gens de presse, ceux de notre café qui, venus exprès, restent pour voir comment je m'en tirerai, et dans l'espoir que je ferai four ou scandale.

Je laisse débiter les alexandrins et m'en vais attendre à la brasserie la plus voisine.

« A ton tour! Ça va être à toi! »

Je n'ai que le temps de grimper les escaliers.

« A vous! à vous! »

Je traverse la salle : me voici arrivé sur l'estrade.

Je prends du temps, pose mon chapeau sur une chaise, jette mon paletot sur un piano qui est derrière moi, tire mes gants, lentement, tourne la cuiller dans le verre d'eau sucrée avec la gravité d'un sorcier qui lit dans le marc de café. Et je commence, pas plus embarrassé que si je pérorais à la crèmerie :

---

1. Il s'agit des survivants de l'opposition bourgeoise et républicaine au coup d'État du 2 décembre.
2. C'est le pseudonyme de Jules Vallès.

— MESDAMES, MESSIEURS.

J'ai aperçu, dans l'auditoire, des visages amis, je les regarde, je m'adresse à eux, et les mots sortent tout seuls, portés par ma voix forte jusqu'au fond de la salle.

C'est la première fois que je parle en public, depuis le Deux-Décembre. Ce matin-là, je montais sur les bancs et sur les bornes pour apostropher la foule et crier : « Aux armes ! », je haranguais un troupeau d'inconnus, qui passèrent sans s'arrêter.

Aujourd'hui, je suis en habit noir, devant des parvenus endimanchés qui se figurent avoir fait acte d'audace, parce qu'ils sont venus pour entendre lire des vers [1].

Vont-ils me comprendre et m'écouter?

On déteste Napoléon, dans ce monde de puritains mais on n'aime pas les misérables dont le style sent la poudre de Juin [2] plus que celle du coup d'État. Ces vestales à moustaches grises de la tradition républicaine sont — comme étaient Robespierre et tous les sous-Maximilien, leurs ancêtres — des Bridoison austères de la forme classique.

Et les cravatés de blanc qui sont là, et qui m'ont lu, ont été déroutés, les cuistres, par mes attaques d'irrégulier, déchaînées moins contre le buste de Badinguet [3] que contre la carcasse de la société tout entière, telle qu'elle est bâtie, la gueuse, qui n'a que du plomb de caserne à jeter dans le sillon où les pauvres se tordent de douleur et meurent de faim — crapauds à qui le tranchant du soc a coupé les pattes, et qui ne peuvent même pas faire résonner, dans la nuit de leur vie, leur note désolée et solitaire !

Seulement, à cette heure, c'est le dédain plus que le désespoir qui gonfle mon cœur, et le fait éclater en phrases que je crois éloquentes. Dans le silence, il me paraît qu'elles frappent juste et luisent clair.

Mais elles ne sont pas barbelées de haine [...].
[...].

---

1. L'opposition républicaine à l'Empire était encore timide.
2. De juin 1848, où les ouvriers parisiens se révoltèrent contre les bourgeois au pouvoir sous la deuxième République. La révolte fut écrasée dans le sang.
3. Surnom de Napoléon III.

J'oublie Balzac mort pour parler des vivants, j'oublie même d'insulter l'Empire, et j'agite, devant ces bourgeois, non point seulement le drapeau rouge, mais aussi le drapeau noir.

Je sens ma pensée monter et ma poitrine s'élargir, je respire enfin à pleins poumons. J'en ai, tout en parlant, des frémissements d'orgueil, j'éprouve une joie presque charnelle; il me semble que mon geste n'avait jamais été libre avant aujourd'hui, et qu'il pèse, du haut de ma sincérité, sur ces têtes qui, tournées vers moi, me fixent, les lèvres entrouvertes et le regard tendu!

Je tiens ces gens-là dans la paume de ma main, et je les brutalise au hasard de l'inspiration [...].

Jules VALLÈS, *L'Insurgé*.

18 Mars.

« Pan, pan!

— Qui est là? »

C'est un des trois amis qui savent ma cachette; il est essoufflé et pâle.

« Qu'y a-t-il?

— Un régiment de ligne a passé au peuple!

— Alors on se bat?

— Non, mais Paris est au Comité Central. Deux généraux ont eu, ce matin la tête cassée par les chassepots. »

— « Où?... Comment?...

— L'un avait commandé le feu contre la foule. Ses soldats se sont mêlés aux fédérés, l'ont entraîné, et massacré : c'est un sergent en uniforme de fantassin qui a tiré le premier. L'autre, c'est Clément Thomas qui venait espionner, et qu'un ancien de Juin [1] a reconnu. Au mur aussi!... Leurs cadavres sont maintenant étendus, troués comme des écumoires, dans un jardin de la rue des Rosiers, là-haut à Montmartre. »

Il s'est tu.

Allons! c'est la Révolution!

---

1. Un ancien ouvrier des journées de juin 1848.

E. Manet :
La guerre
civile
(lithographie
1871).

La voilà donc, la minute espérée et attendue depuis la première cruauté du père, depuis la première gifle du cuistre, depuis le premier jour passé sans pain, depuis la première nuit passée sans logis — voilà la revanche du collège, de la misère, et de Décembre !

J'ai eu un frisson tout de même. Je n'aurais pas voulu ces taches de sang sur nos mains, dès l'aube de notre victoire.

Peut-être aussi est-ce la perspective de la retraite coupée, de l'inévitable tuerie, du noir péril, qui m'a refroidi les moelles... moins par peur d'être compris dans l'hécatombe, que parce que me glace l'idée que je pourrai, un jour, avoir à la commander.

Ibid.

● **La révolte des anges**

> Anatole France est un des écrivains les plus caractéristiques de la Troisième République. Athée, frondeur, voltairien, il participe à sa manière au combat pour l'instauration d'une société civile, contre la vieille société d'ancien Régime, qui subsiste dans les châteaux et dans les clubs. En ce sens, sa littérature est militante, agressivement « laïque ». *La Révolte des Anges* est l'une des plus remarquables expressions de la révolte du Prince des « Intellectuels » contre la société de « l'ordre moral ».

— Homme, prête l'oreille; femme, entends ma voix ! Je vais vous révéler un secret d'où dépend le sort de l'univers. Me dressant contre Celui que vous considérez comme le créateur de toutes choses visibles et invisibles [1], je prépare la révolte des anges.

— Ne plaisantez pas, dit Maurice, qui avait la foi et ne souffrait pas qu'on se jouât des choses saintes.

Mais l'ange d'un ton de reproche :

— Qui vous fait croire, Maurice, que je suis frivole et que je me répands en paroles vaines ?

---

1. Tous les romans d'Anatole France ont des personnages qui mettent en question la foi et le dogme. Ici, c'est l'ange.

— Allons donc ! fit Maurice, en haussant les épaules, vous n'allez pas vous révolter contre...

Il montra le plafond, n'osant achever.

Mais l'ange :

— Ne savez-vous point que les fils de Dieu se sont déjà révoltés et qu'un grand combat fut déjà livré dans le ciel ?

— Il y a longtemps de cela, dit Maurice, en mettant ses chaussettes.

Alors l'ange :

— C'était avant la création du monde. Mais rien n'est changé depuis dans les cieux. La nature des anges n'est pas différente aujourd'hui de ce qu'elle était à l'origine. Ce qu'ils firent alors, ils peuvent maintenant le refaire.

— Non ! Ce n'est pas possible : c'est contre la foi [1]. Si vous étiez un ange, un bon ange, comme vous le prétendez, vous n'auriez pas l'idée de désobéir à votre créateur.

— Vous vous trompez, Maurice ! et l'autorité des Pères vous condamne. Origène professe en ses homélies que les bons anges sont faillibles, qu'ils pèchent tous les jours et tombent du ciel comme des mouches [2]. Peut-être êtes-vous tenté de récuser ce père (si j'ose dire), malgré sa connaissance des Écritures, parce qu'il est exclu du Canon des Saints. En ce cas je vous rappellerai le deuxième chapitre de l'Apocalypse, où les anges d'Éphèse et de Pergame sont réprimandés pour avoir mal gardé leur Église. Vous alléguerez sans doute que les anges dont parle ici l'apôtre sont proprement les évêques de ces deux villes, qu'il appelle anges à cause de leur ministère. Il se peut et j'y consens. Mais qu'opposerez-vous, Maurice, à l'opinion de tant de docteurs et de pontifes qui enseignent tous que les anges sont muables du bien et du mal ? C'est ce qu'affirme saint Jérôme, dans son *Épître à Damase*...

---

1. Ironique : ce qui est contre la foi est réputé « impossible ». C'est l'idée reçue d'un certain milieu que condamne Anatole France.
2. Remarquez l'irrévérence voltairienne.

— Monsieur, dit Madame des Aubels, retirez-vous, je vous prie [1].

Mais l'ange ne l'entendit point et poursuivit :

— ... Saint Augustin, *De la vraie Religion*, chapitre XIII; saint Grégoire, *Morales*, chapitre XXIV; Isidore...

— Monsieur, laissez-moi m'habiller; je suis pressée.

— ... *Du souverain bien*, livre premier, chapitre XII; Bède, *Sur Job*...

— Monsieur, je vous en prie...

— ... Chapitre VIII; Damascenus, *De la foi*, livre II, chapitre III. Ce sont là, je crois, des autorités d'un poids suffisant; et il ne vous reste plus, Maurice, qu'à reconnaître votre erreur. Ce qui vous a trompé, c'est que vous n'avez pas considéré ma nature, qui est libre, active et mobile, comme celle de tous les anges, et que vous avez uniquement regardé les grâces et les félicités dont vous me croyez comblé. Lucifer n'en reçut pas moins : il se révolta pourtant.

— Mais pourquoi vous révoltez-vous? Pourquoi? demanda Maurice.

— Isaïe, répondit l'enfant de lumière, Isaïe avait déjà demandé avant vous : « Quomodo cecidisti de coelo, Lucifer, qui mane oriebaris? » Soyez instruit Maurice! Avant les temps, les anges se levèrent pour la domination des cieux. Le plus beau des Séraphins s'est révolté par orgueil. Moi, c'est la science qui m'a inspiré un généreux désir de m'affranchir [2]. Me trouvant auprès de vous dans une maison qui contient une des plus vastes bibliothèques du monde, j'ai pris le goût de la lecture et l'amour de l'étude. Tandis que, fatigué par les travaux d'une vie grossière, vous dormiez d'un sommeil épais, m'entourant de livres, j'étudiais, je méditais les textes tantôt dans une salle de la bibliothèque sous les images des grands hommes de l'antiquité, tantôt au fond du jardin, dans la chambre du pavillon qui précède la vôtre.

---

1. Madame des Aubels est un personnage qui existe sous plusieurs formes dans les romans de France : c'est la « châtelaine », catholique, parfois séduisante, toujours délicieusement stupide.

2. On reconnaît ici les thèmes de Renan et du scientisme, très à la mode sous la République.

(...) L'ange poursuivit, impassible :

— J'avais résolu d'examiner les fondements de la foi. Je me suis attaqué d'abord aux monuments du judaïsme, et j'ai lu tous les textes hébreux. (...)

— J'ai pénétré les antiquités orientales, la Grèce et Rome, j'ai dévoré les théologiens, les philosophes, les physiciens, les géologues, les naturalistes. J'ai su, j'ai pensé, j'ai perdu la foi [1].

— Comment? vous ne croyez pas en Dieu?

— J'y crois, puisque mon existence dépend de la sienne et que, s'il n'est plus, je tombe moi-même dans le néant. J'y crois comme les silènes et les ménades croyaient à Dionysos et pour les mêmes raisons [2]. Je crois au Dieu des juifs et des chrétiens. Mais je nie qu'il ait créé le monde; il en a tout au plus organisé une faible partie, et tout ce qu'il a touché porte la marque de son esprit imprévoyant et brutal. Je ne pense pas qu'il soit éternel ni infini, car il est absurde de concevoir un être qui n'est pas fini dans l'espace ni le temps. Je ne crois plus qu'il soit le Dieu unique; il fut d'abord polythéiste. Plus tard, son orgueil et les flatteries de ses adorateurs le rendirent monothéiste. Il a peu de suite dans les idées; il est moins puissant qu'on ne pense. Et, pour tout dire, c'est moins un dieu qu'un démiurge ignorant et vain. Ceux qui, comme moi, connaissent sa véritable nature l'appellent Ialdabaoth.

— Comment dites-vous?

— Ialdabaoth.

— Qu'est-ce que c'est que ça, Ialdabaoth?

— Je vous l'ai dit : c'est le démiurge que, dans votre aveuglement, vous adorez comme le dieu unique.

[...].

— Mon cher Maurice, Lucifer était face à face avec Dieu, pourtant il refusa de le servir. Quant à la sorte de vérité qu'on trouve dans les livres, c'est une vérité qui fait discerner quelquefois comment les choses ne sont pas, sans nous faire jamais découvrir comment elles sont. Et cette pauvre petite vérité a suffi à me

---

1. Formule de provocation : penser et savoir, c'est immédiatement dissiper les contes de bonne femme de la religion. « Libre pensée », sous la IIIe République, signifie athéisme militant.
2. Ironique : la foi de France relève du folklore mythologique.

prouver que celui en qui je croyais aveuglément n'est pas croyable et que les hommes et les anges ont été trompés par les mensonges de Ialdabaoth [1].

Anatole FRANCE, *La Révolte des Anges*,
éd. Calmann-Lévy.

[1]. La révolte de l'ange qui ouvre enfin les yeux sur les indignités de son maître est traitée par France à la manière d'une farce de boulevard.

— Anatole France fait partie du groupe des écrivains, qui, sous la Troisième République, sont constamment révoltés contre l'injustice et l'inégalité. Écrivain de combat, il est pour Dreyfus contre Barrès, plus tard pour Jaurès contre Poincaré. Il est du parti des « Intellectuels ». C'est dans cette perspective que se situe *La Révolte des Anges*. Comme tous les « républicains », France pense que l'Église et le « monde clérical » n'admettent pas la République. Pour qu'elle puisse enfin s'imposer, repousser en enfer les régimes théocratiques ou despotiques du XIXᵉ siècle, il faut la débarrasser de la société cléricale, des élites de la vieille France. La « révolte » d'Anatole France est donc profondément politique. Ses romans ressemblent aux feuilletons de l'Humanité : ils sont l'œuvre d'un combat.

— L'ange représente ici la pensée d'Anatole France. *Maurice* est un personnage qui représente la vieille société cléricale. France le dépeint avec toute l'ironie nécessaire.

— Quand il recourt aux textes des Pères de l'Église pour justifier la révolte des anges contre Dieu, l'ange d'Anatole France suit un vieux schéma de pensée « positiviste », hérité de Renan et de tous les « idéologues » du XIXᵉ siècle qui cherchent dans les textes des armes contre le dogme romain. L'infaillibilité du Pape, proclamée en 1870, stimule considérablement leur recherche.

— La révolte de l'ange acquiert du combat des philosophes « positivistes » son contenu doctrinal. France signale que la science et le progrès sont les véritables mobiles de l'ange déchu. Comme Renan, la connaissance des textes antiques le persuade que la religion aussi peut être soumise à la critique scientifique, et que la foi ne peut couvrir l'erreur. La révolte de l'ange est donc une révolte de la critique contre le dogme, du progrès contre l'autorité.

— L'influence de Voltaire est évidente dans la vision historique que l'ange donne des religions. France affirme ici sa révolte contre l'intolérance.

● CHAPITRE VI

Le XXe SIÈCLE

Si le XIXe siècle était celui des révolutions, le XXe est celui des révoltes. Le progrès continu et de plus en plus rapide des sciences et des techniques, au lieu de renforcer les certitudes, les remet au contraire sans cesse en question et la révolte la plus profonde, la plus constante du siècle est sans doute celle des « Intellectuels ».

Le problème est de lui trouver un objet : deux guerres et une révolution mondiales ont fait disparaître à grands coups de bélier les vieilles défenses socio-religieuses de la société occidentale. Le « bourgeois » du XIXe siècle n'existe plus. Il n'y a plus d'entreprises individuelles de quelque importance, plus de réflexes individuels. Mais il existe une nouvelle bourgeoisie des cadres, des directeurs, des « technocrates »; mélange complexe de techniciens et de gestionnaires qui dominent la société moderne. Si la « conscience de classe » se renforce, elle s'élargit en même temps jusqu'à comprendre dans une classe unique l'essentiel des forces actives de la nation : si le « capital » est bien rarement aujourd'hui national, si les « deux cent familles » ont conclu de nombreuses alliances outre-Rhin et outre-Atlantique, le monde du travail, par le crédit, la construction chère et l'impôt sur le revenu déploie un éventail salarial qui ventile des mensualités certes inégales entre les différentes catégories de travailleurs, mais dans l'ensemble comparables, en tout cas, du point de vue de la société industrielle, justifiables. Les disparités qui existent encore et qui sont génératrices de conflits, tiennent à la survivance de secteurs non industriels dans la société et l'économie : petit commerce, petite agriculture, petites entreprises. Le gigantisme niveleur de la société industrielle tend à enlever à la révolte sa signification, sauf si cette révolte est dirigée, moins contre une catégorie privilégiée de la société que contre la société dans son ensemble, dénoncée comme oppressive.

Nous approchons du dernier quart du XXe siècle. L'histoire, c'est une évidence, accélère son cours. Pour en arriver à cette conception globale de la révolte, qui s'est affichée en mai 1968, il a fallu franchir soixante ans d'obstacles, un long parcours de révoltes partielles, héritées d'un autre siècle : subsistent ainsi, au XXe siècle, les révoltes ouvrières sporadiques, soutenues de plus en plus par des révoltes de paysans dressées contre l'organisation capitaliste de la production, par les révoltes des catégories résiduelles brimées par l'évolution : celle des commerçants par exemple. Subsiste encore la grande révolte littéraire et philosophique du romantisme, contre le conformisme social de plus en plus altéré d'ailleurs. Le dernier sursaut du romantisme n'est-il pas, au lendemain de la guerre de 1914-1918, celui des surréalistes et autres *Dada*, qui, voyant devant eux les ruines s'accumuler, veulent, selon le mot de Gide, détruire aussi le langage ? Révolte de la poésie, révolte de l'absurde. Plus le monde devient raisonnable, rangé, programmé, plus le lyrisme devient révolutionnaire et dénonce la raison. *Dada* fraye une voie, celle de l'absurde où s'engouffrent les existentialistes de l'après-guerre (l'après seconde guerre) qui redécouvrent Jarry et Ubu Roi, un des grands succès du *Théâtre National Populaire* — mais aussi les spécialistes du théâtre de l'absurde, qui ont pour chef de file Eugène Ionesco, Prince de la révolte théâtralisée. Un autre courant de révolte survit, tenace, à travers guerres et révolutions, jamais lassé, renouvelé de loin en loin par l'écho, de plus en plus lointain, des guerillas et des révolutions tropicales. Il trouve un second souffle à la Libération, grâce aux révoltes de la résistance française, dont Camus, mort prématurément, est la voix la plus autorisée, mais qui lui-même prolongeait le message romanesque d'André Malraux : de Chine en Espagne, ce dernier s'était fait le reporter de la révolution mondiale,

Paris : mai 1968.

au temps où la révolte politique, de nature anti-fasciste, avait un adversaire idéologiquement pur de tout compromis avec la morale. Heureux temps où l'on pouvait, en bonne conscience, vivre à Madrid et mourir à Paris, à Paris protégé par Munich... De la révolte anti-fasciste à la révolte anti-capitaliste, la « littérature de l'engagement » reste un moment sur sa faim, jusqu'à ce que la décolonisation fournisse une pâture abondante aux plumes militantes de la protestation. Puis apparaissent au ciel des Tropiques les premières grandes révoltes lyriques : celle de Mao « poète et soldat », découverte dans les années 1954-55 (c'est-à-dire au temps de la dé-stali-nisation) celle de Castro, personnage théâtral, au bon sens du mot, pour qui le discours politique est un spectacle total, une sorte de *happening*. De la mythologie du « bol de riz » à celle du *barbudo*, la révolte gagne en chevaleresque ce qu'elle perd en exotisme. Ces révolutionnaires d'Amérique sont la nouvelle tentation de l'Occident.

Plus que jamais, la révolte est devenue un spectacle, elle tend même à s'imposer, par la démultiplication des images, comme un environnement permanent. Il existait une mytho-logie des maquis, impliquant un style de vie, de pensée, et jusqu'à un genre oratoire et lyrique. Il existe désormais un phénomène international de la révolte, affirmation théâtrale, spectaculaire, reçue et conçue comme un spectacle total, de la volonté de changer le monde. L'esthétique d'avant-garde ne distingue plus la révolte de fait de l'image de la révolte. Le passage du *Living Theater* au Festival d'Avignon exprime, par ses violences et ses combats de rues, la coïncidence recherchée par les jeunes artisans de la révolte entre une esthétique et une éthique. Le théâtre vivant, c'est en définitive la rue et ses combats, la rue et ses orgasmes, c'est-à-dire la vie conçue à la fois comme un combat et comme un spectacle. Être acteur, et non plus spectateur, constitue l'essentiel de la revendication des jeunes révoltés. « Indéfinissable impression de jouer avec des poignards en carton dans un décor de fortune » écrivait dans son *Journal*, le Gide des années 20. Les jeunes gens en colère des années 60, et probablement aussi ceux des années 70 veulent des vrais poignards et, comme le spectateur d'Othello qui dans Stendhal tue le Maure pour sauver Desdémone, ils veulent que les poignards de théâtre tuent, que les décors soient ceux de la vie, et leur drame celui du siècle.

Du moins ces convulsions — qui débordent largement les

entreprises plus étroitement idéologiques de ceux qui empruntent leurs thèmes à certains modèles illustres — expriment-elles deux réalités : d'une part la volonté de penser le monde comme « un » : d'abolir les inégalités scandaleuses entre le monde blanc du sur-développement et le monde de couleur de la faim. La révolte est celle des affamés; elle est aussi celle des jeunes nantis contre les « mains sales » qui les nourrissent trop bien. Dans la course de vitesse qui est engagée entre l'industrie moderne et le monde de la famine, la contestation vient protester contre le racisme, l'exploitation, les rapports inégaux entre les peuples. De ce point de vue, la révolte moderne se rattache à une tradition éthique occidentale. Elle milite pour plus de justice et pour plus de bonheur.

Deuxième réalité : la protestation des sociétés développées contre la condition même du développement : un encadrement technologique de plus en plus efficace, qui fait de plus en plus réduite la part de l'initiative, de l'individualisme, et en conséquence de l'imagination. En ce sens, la révolte est un des aspects de la mutation rapide — trop rapide — de la société industrielle devenue « société de consommation », où tout est prévu pour les individus, où leurs désirs sont programmés, calibrés, escomptés. De ce point de vue, dans la mesure où elle participe d'une volonté de sauvegarder l'imagination et l'initiative contre la prévision et la planification, la révolte devient esthétique.

La multiplication récente des événements violents suscités dans de nombreux pays par les jeunes en colère met au premier plan la thématique de la révolte. Les extraits qui suivent, échelonnés depuis le début du siècle jusqu'à nos jours, n'ont d'autre fin que de suggérer une certaine continuité dans les thèmes, et par là même de rendre intelligible au lecteur l'interpénétration actuelle de tous ces thèmes dans un phénomène de révolte globale.

● Les Français devant la « machine sociale »

Philosophe officiel de la République radicale, Alain, professeur de première supérieure, juge de la révolte comme de toutes choses, sereinement. Il la prend à la racine, dans les campagnes normandes qu'il connaît bien, dans les réfectoires de potaches où l'ordre est

odieux. La propension des Français à la « grogne »,
à la « rogne », à la remise périodique de l'ordre en
question est ici analysée avec finesse par un philosophe
parfaitement intégré à la société de son temps, celle des
« années 30 ».

Ceux de l'Orne, je les connais bien. Je suis l'un d'eux.
(...) Ce sont de grands diables qui ne savent ni croire
ni respecter. (...) Il y a une défiance qui vaut crédulité.
(...) Nos passions politiques viennent de ce que nous
obéissons trop. La grande machine ne peut aller qu'à
ce prix; tout s'y tient; nous ne savons par où la
prendre, ni à qui parler [1]. Le sentiment de l'impuissance est ce qui nourrit l'esprit de révolte, qui, ne
pouvant s'avouer dans les grandes choses, se montre
dans les petites [2]. Les classes se séparent et surtout
se croient séparées. Cela tient à notre civilisation
mécanique, où sans aucun doute, les citoyens se
croient plus esclaves qu'ils ne sont.

ALAIN, *Politique*, Éd. Gallimard.

L'Odeur du réfectoire

Il y a une odeur de réfectoire, que l'on retrouve la
même dans tous les réfectoires. Que ce soit des Char-
treux qui y mangent, ou des séminaristes, ou des
lycéens, ou de tendres jeunes filles, un réfectoire a
toujours son odeur de réfectoire. Cela ne peut se
décrire. Eau grasse? Pain moisi? Je ne sais. Si vous
n'avez jamais senti cette odeur, je ne puis vous en
donner l'idée; on ne peut parler de lumière aux
aveugles. Pour moi, cette odeur se distingue autant
des autres que le bleu se distingue du rouge.

Si vous ne la connaissez pas, je vous estime heureux.
Cela prouve que vous n'avez jamais été enfermé dans

---

1. C'est l'isolement de l'individu devant les « pouvoirs publics » et d'une
manière générale devant la « machine sociale ». Alain connaît bien ce problème.
Les députés et parlementaires de la IIIᵉ République considéraient comme une
tâche essentielle, pour eux vitale, d'établir, grâce au contact avec l'électeur, ce
courant de communication qui évitait la révolte. Les innombrables « interven-
tions parlementaires » allaient dans ce sens. Il s'agissait de rendre la « machine »
de l'État plus humaine, plus accessible.
2. Les révoltes sporadiques, qui tiennent à des revendications professionnelles,
confessionnelles, scolaires sont nombreuses sous la IIIᵉ République. Elles éclatent
à partir d'incidents mineurs, et prennent parfois d'inquiétantes proportions.

quelque collège. Cela prouve que vous n'avez pas été prisonnier de l'ordre et ennemi des lois dès vos premières années [1]. Depuis, vous vous êtes montré bon citoyen, bon contribuable, bon époux, bon père; vous avez appris peu à peu à subir l'action des forces sociales; jusque dans le gendarme, vous avez reconnu un ami; car la vie de famille vous a appris à faire de nécessité plaisir.

Mais ceux qui ont connu l'odeur de réfectoire, vous n'en ferez rien. Ils ont passé leur enfance à tirer sur la corde; un beau jour enfin ils l'ont cassée; et voilà comment ils sont entrés dans la vie, comme ces chiens suspects qui traînent au bout d'une corde. Toujours ils se hérisseront, même devant la plus appétissante pâtée. Jamais ils n'aimeront ce qui est ordre et règle; ils auront trop craint pour pouvoir jamais respecter. Vous les verrez toujours enragés contre les lois et règlements, contre la politesse, contre la morale, contre les classiques, contre la pédagogie et contre les palmes académiques; car tout cela sent le réfectoire. Et cette maladie de l'odorat passera tous les ans par une crise, justement à l'époque où le ciel passe du bleu au gris, et où les libraires étalent des livres classiques et des sacs d'écolier.

ALAIN, *Propos* (11 octobre 1907), Éd. Gallimard.

● **La révolte des masses**

Alain analyse la révolte à un niveau limité : celui de l'individu aux prises avec la « machine sociale ». Dans les années 30, années de crise, de chômage et de famine, années de profond désarroi où se forge véritablement le XXᵉ siècle, la révolte cesse d'être individuelle pour devenir collective. C'est la « révolte des masses » qui révolte à son tour les « Intellectuels » attachés à l'humanisme

---

1. Les lycées et collèges avaient au XIXᵉ siècle une stricte discipline napoléonienne qui s'était renforcée après 1870; le mythe de « l'instituteur prussien » à qui l'on attribuait la victoire de Bismarck contre Napoléon III avait conduit les responsables de la IIIᵉ République à organiser dans les écoles et dans les établissements secondaires une dure discipline, « à la prussienne ».

individualiste et raisonnable. Dans ces lignes de l'essayiste espagnol Ortega y Gasset, on reconnaît l'angoisse profonde des générations de l'entre-deux-guerres contre la montée de la révolte irrationnelle.

Le politisme intégral, l'absorption de tout et de tous par la politique n'est que le phénomène même de la révolte des masses. La masse en révolte a perdu toute capacité de religion et de connaissance, elle ne peut plus contenir que de la politique — une politique frénétique, délirante, exorbitée puisqu'elle prétend supplanter la connaissance, la religion, la « sagesse » en un mot les seules choses que leur substance rend propres à occuper le centre de l'esprit humain. La politique vide l'homme de sa solitude et de sa vie intime, voilà pourquoi la prédication du politisme intégral est une des techniques que l'on emploie pour le socialiser.

L'avènement des masses au plein pouvoir social [1] est le plus important des faits qui soient survenus dans la vie publique de l'Europe actuelle. Mais, comme, par définition, les masses ne doivent ni ne peuvent se gouverner elles-mêmes, et moins encore régenter la société, ce fait implique que l'Europe traverse actuellement la crise la plus grave dont puissent souffrir peuples, nations et cultures. C'est la *révolte des masses*.

Pour la meilleure intelligence de ce phénomène, on évitera tout d'abord, de donner aux mots « révolte », « masses », « pouvoir social » un sens exclusivement politique, ou tirant de la politique son origine. La vie publique n'est pas seulement politique, mais à la fois intellectuelle, morale, économique et religieuse.

(...) Un des traits les plus caractéristiques est le phénomène de l'agglomération, du « plein » (...) Or, les individus qui composent les foules existaient avant, mais non en tant que foules.

(...) La masse, sans cesser d'être masse, supplante les minorités.

---

1. Qui peuvent intervenir dans la contestation de l'ordre social.

(...) La caractéristique du moment, c'est que l'âme médiocre, se sachant médiocre, a la hardiesse d'affirmer les droits de la médiocrité et les impose partout.

(...) Le torrentueux et violent soulèvement moral des masses, indomptable et équivoque comme tout destin, a jeté dans le nôtre un terrible élément d'inquiétude. (...)

Le fait que nous devons soumettre à l'analyse peut s'énoncer sous ces deux formules : 1) les masses exécutent aujourd'hui un répertoire vital qui coïncide en grande partie avec celui qui paraissait exclusivement réservé autrefois aux seules minorités; 2) en même temps, les masses sont devenues rebelles aux minorités, elles ne leur obéissent plus, mais au contraire les laissent de côté et les supplantent.

(...) Il faudra se retourner contre le xixe siècle. S'il est évident qu'il y avait en lui quelque chose d'extra-ordinaire, il n'est pas moins vrai qu'il devait souffrir de certains vices radicaux, de certaines insuffisances constitutives, puisqu'il a engendré une caste d'hommes — les hommes-masses rebelles — qui exposent au danger le plus imminent les principes mêmes auxquels ils doivent la vie. Si le type humain continue d'être le maître de l'Europe et demeure définitivement celui qui décide, trente ans suffiront pour que notre continent retourne à la barbarie [1]. Toute la vie se recroquevillera. L'abondance actuelle des possibilités se convertira en faiblesses effectives, en une angoissante impuissance; en une véritable décadence. Car la révolte des masses n'est point autre chose que ce que Rathenau appelait : « l'invasion verticale des barbares ».

(...) Ma thèse peut se résumer ainsi : la perfection même avec laquelle le xixe siècle a donné une organisation à certains domaines de la vie, est la cause de ce que les masses bénéficiaires la considèrent non pas comme une organisation, mais comme un produit de la nature. Ainsi s'explique et se définit cet absurde état d'esprit que les masses révèlent. Rien ne les

---

1. La barbarie s'oppose ici à l'humanisme, notion individualiste définie en Europe sous la Renaissance.

préoccupe plus que leur bien-être et en même temps
elles ont coupé toute solidarité avec les causes de ce
bien-être [1]. Comme elles ne voient dans la civilisation
qu'une invention et qu'une construction prodigieuses
qui ne peuvent se maintenir qu'avec de grands et
prudents efforts, elles croient que leur rôle se réduit
à les exiger péremptoirement, comme si c'étaient
des droits de naissance. Dans les émeutes que provoque
la disette, les masses populaires ont coutume de
réclamer du pain et le moyen qu'elles emploient
consiste généralement à détruire les boulangeries.
Cela peut servir de symbole — en des proportions plus
vastes et plus subtiles — à la conduite des masses
actuelles vis-à-vis de la civilisation qui les nourrit.

José Ortega y Gasset, *La Révolte des masses*,
Idées, éd. Gallimard.

● Une crise des valeurs

Autre révolte individuelle, celle de l'humanisme chrétien des jeunes gens des années 30. Comme la génération
de 1914, celle des années 30 refuse en France le scepticisme, la résignation à l'enténèbrement collectif. Elle se
révolte. La notion même de « crise » lui paraît être la
condamnation d'une société. L'impuissance de l'État,
et plus généralement des citoyens, à dominer la crise
(une crise qui n'est pas seulement économique puisqu'elle met en question toutes les valeurs sociales) mérite
également condamnation. Au nom de quoi ? Jean-Pierre
Maxence se garde de le préciser. Ce qu'il refuse en bloc,
c'est l'intégration de parti, de ligue et de masse à une
civilisation qui laisse de côté les valeurs auxquelles il
tient, et qui ne peuvent se renouveler que par un effort
de création, d'imagination individuelle, contre un ordre
étouffant et stérile.

Sans romantisme, comme sans complaisance, qu'on
fasse le bilan pour la France des dix années que nous
venons de vivre : on trouve en balance un mot sordide,

---

1. Les causes du bien-être sont essentiellement le progrès technique et scientifique, l'organisation de la société industrielle.

le mot *crise*, et qui les résume presque toutes entières. (...) Que pouvions-nous avoir de commun avec ce monde? A ce monde, nous ne devons rien [1].

(...) Ce refus, nous ne le cherchions pas. Il n'était pas chez nous une attitude littéraire, un *a priori*, un mouvement de la jeunesse. Tout nous l'imposait, la raison comme la dignité. Et si d'aventure nous venait la question de Péguy : « Qu'est-ce qu'il faut sauver? », notre réponse ne tardait pas : il ne nous restait à sauver que nous-mêmes, c'est-à-dire l'homme, l'essentiel [2]. Nous n'avons en cela qu'un mérite : avoir refusé de jouer le jeu, d'accepter le mensonge et l'avoir fait sans désespoir, jour après jour.

Car, si notre combat a un sens, c'est celui d'une génération qui, pour se trouver une raison de vivre, qui pour vivre, a dû constamment s'opposer à l'atmosphère et aux atteintes de son temps. Notre expérience est une expérience contre l'époque. C'est vrai pour les plus « révolutionnaires » d'entre nous comme pour les plus « réactionnaires ». Nul parmi nous n'était satisfait du monde présent; que les médiocres. Et ce n'était point là une question d'âge mais d'esprit, un procès d'individus mais de valeurs [3]. Le monde nous a saisi, emporté; il nous a contraint à le rejeter. Nous sentions et nous savions bien que, de nous ou de lui, l'un devait tomber, disparaître — et que ce fut le monde présent qui vainquît (Société, État, simulacre de culture) c'était fini de notre pays, proie alors offerte, par lassitude ou par écœurement, aux solutions totalitaires et importées.

Aux jeunes hommes qui commenceront demain à peser dans la balance, deux tentations s'offrent, également dangereuses : celle d'une agrégation pré-

---

1. Cette conscience de ne rien devoir à un passé proche que l'on réprouve est l'essentiel de l'attitude du jeune homme révolté. Il ne se reconnaît pas dans l'histoire de la précédente génération. Il ne se reconnaît pas dans son père.
2. Ce retour en force de l'humanisme est une constante des années 30. Les intellectuels d'alors refusent d'être des « clercs ». Jean Prévost, mort au Vercors, ancien normalien, agrégé, se fait boxeur, journaliste sportif. Montherlant s'intéresse aux taureaux, Brasillach au cinéma. L'action, le sport, le mouvement exercent une fascination compréhensible : il s'agit de se révolter contre l'immobilisme, l'étouffement.
3. Il ne s'agit pas de défendre d'anciennes valeurs, mais de leur donner un sens nouveau, de réhabiliter l'effort, le sacrifice, l'engagement.

maturée à des partis ou à des formations esclaves [1], celle d'une vaine révolte, toute individuelle qui se contente de refuser sans dégager des principes de salut pour les confronter au réel. (...) La tentation de la révolte, du « non » absolu, de l'anarchie, me semble plus puissante. (Le succès obtenu auprès de toute une jeunesse déçue par les groupes anarchistes d'une part, « La Cagoule » d'autre part, sont, quoiqu'on pense des uns et des autres, symptomatiques.) Et si nous n'y avons pas cédé c'est qu'elle est stérile et n'a pour premier résultat, que de laisser intact l'état d'injustice que l'on déteste, en retirant leurs meilleures forces à ceux qui le combattent efficacement. Dix ans de recherches et d'engagements nous l'ont durement enseigné. La retraite sur soi-même n'est point possible en un monde qui vous oppresse de toutes parts [2]. Pour l'artiste même, elle est une mauvaise solution. Elle le coupe des sources fécondes, l'appauvrit, l'étouffe. Aussi avons-nous vu ceux-là mêmes qui il y a quatre ou cinq ans, proposaient le mépris total du social, la négation du politique et la tour d'ivoire du « clerc », se jeter dans la mêlée avec une frénésie partisane, une faculté de soumission vraiment inouïes [3].

J.-P. MAXENCE, *Histoire de Dix Ans*, 1927-1937,
Préface, éd. Gallimard.

● **La jeunesse devant le fascisme**

Le Front Populaire se prépare idéologiquement en France à partir de la montée au pouvoir de Hitler en 1933. Un Comité d'Action anti-fasciste est alors créé, qui groupe un nombre important d'intellectuels, professeurs, écrivains, hommes politiques, artistes. Les trois signataires de la brochure « La Jeunesse devant le fascisme » publiée par le Comité d'Action sont trois professeurs :

---

1. Il s'agit des Ligues, nombreuses dans l'entre-deux-guerres.
2. Le monde oppresseur est déjà celui de la publicité, de la grande presse, de la radio, en un mot de la « société de consommation ». C'est aussi celui des vieilles valeurs immobiles, qui, en France, n'en finissent pas de mourir.
3. Maxence fait appel à l'engagement des Intellectuels dans des mouvements politiques de masses, à gauche comme à droite (depuis 1936 les ligues dissoutes ont constitué de « grands partis populaires »).

Rivet, le philosophe Alain, le physicien Paul Langevin. Seul Langevin est communiste. On notera le vocabulaire et l'esprit gauchiste du texte, annonçant le Front Populaire. Dans le Comité d'Action figuraient Jacques Soustelle, André Malraux, tous les écrivains et professeurs de gauche.

Situation matérielle et morale de la jeunesse

On dit souvent, et c'est un fait incontestable, que les jeunes gens sont entraînés vers le fascisme par les difficultés de leur situation économique. Cette idée banale demande à être précisée.

Les jeunes générations dont le développement s'est accompli dans les années d'après-guerre, ou qui arrivent maintenant à l'âge d'homme, ont sous les yeux un monde qui leur paraît à bon droit cruel et absurde [1]. Cette société qu'ils n'ont pas créée, et dont ils ne peuvent par conséquent se sentir responsables ni solidaires, ne leur apporte guère aujourd'hui que déception et dégoût. Comment pourraient-ils estimer les générations installées dans ce monde, les dirigeants d'une société, incapables de surmonter les contradictions qui la rongent ? En vérité, il faut le reconnaître, les jeunes, très souvent, méprisent leurs aînés, ils ne leur pardonnent pas leur impuissance [2], leur égoïsme, leurs bavardages et leurs mensonges.

Le chômage

Le fondement matériel de cet état de choses est avant tout le chômage [3]. Il faut voir dans toute sa

---

1. La « cruauté » est la conséquence de la crise : l'esprit de Versailles et celui de Genève sont reniés à partir de 1930. Les « agressions » internationales se multiplient. Les guerres coloniales ont fait rage. La misère est grande dans les pays les plus développés : États-Unis, Allemagne.

Quant à l'absurdité, elle est essentiellement économique : c'est l'histoire, alors généralement répandue, des Brésiliens brûlant leur café dans les locomotives. Une crise de surproduction donne toujours naissance à des spectacles absurdes.

2. Les déclarations des hommes politiques français devant la crise mondiale donnaient l'impression de la plus grande incompréhension : retour d'Amérique en 1929, le « mirobolant Tardieu » déclarait publiquement qu'il ne croyait pas à la gravité de la crise, que la « prospérité » allait poursuivre son cours. Les hommes politiques français se réjouissaient dans leurs discours d'éviter à leur pays les difficultés des voisins. Ils mettaient l'accent sur la défense du Franc, considérant le sous-emploi comme une difficulté passagère, non essentielle.

3. Moins fort en France qu'en Allemagne, le chômage affectait surtout les jeunes, pourvus d'une formation professionnelle insuffisante. En Allemagne il était une des causes fondamentales de la prise du pouvoir par Hitler. La menace du chômage était donc justement ressentie par les anti-fascistes.

gravité ce fait, nouveau dans l'histoire, qu'à l'heure actuelle il y a dans les grands pays les plus riches, les plus anciennement industrialisés, des millions de jeunes qui n'ont jamais pu travailler et qui comprennent que, malgré leur désir de travail et de courage, le plus grand nombre d'entre eux ne trouvera pas le moyen de vivre indépendant tant que dureront les conditions actuelles de la production. Parmi les jeunes ouvriers, ceux qui travaillent sont soumis le plus souvent à une exploitation honteuse. Le travail rationalisé épuise leur organisme, et leur salaire misérable ne leur donne aucune liberté. A l'usine, à l'atelier, au bureau, la jeunesse est vainement sacrifiée pour des sociétés ou des individus inhumains. Quant aux jeunes issus des classes moyennes, beaucoup sont arrêtés dans leurs études par la ruine de leurs parents [1] et les autres voient se fermer de plus en plus les fonctions publiques ou les carrières libérales dont ils espéraient une vie facile et indépendante.

Le monde devient une prison sans but, sans espérance, sans joie.

Or, les jeunes ne se résignent pas à leur sort. Ils veulent comprendre, ils veulent agir. (...)

Le désespoir

Sans doute beaucoup désespèrent, et c'est un fait caractéristique de l'époque présente que l'augmentation du nombre de suicides, et particulièrement des suicides des jeunes. Le désespoir peut aussi se traduire par une négation générale de toute valeur, par une attitude cynique qui n'est qu'une révolte très primitive contre la morale prédominante et qui conduit à de misérables déchéances. (...)

La volonté d'action

Mais, en général, il serait tout à fait faux de considérer la jeunesse actuelle comme désespérée. Le

---

1. Les « classes moyennes » se composaient de professions libérales, très affectées par la politique de blocage et bientôt de diminution des salaires (Laval) des fonctionnaires; mais elles se composaient surtout de nombreux commerçants, boutiquiers, gens de commerce et de petites entreprises, qui avaient beaucoup souffert de la restriction du crédit et du ralentissement brutal des affaires. Les faillites étaient nombreuses dans ce milieu, dont les enfants étaient la clientèle normale des lycées et collèges.

désespoir n'est pas le trait dominant de la jeunesse, c'est seulement le malheur de quelques-uns. La réalité, autrement encourageante, c'est que la jeunesse est révoltée [1]. Elle prend à la vie politique une part beaucoup plus large que dans le passé. Elle est à l'avant-garde dans toutes les batailles politiques. Et c'est pourquoi les organisations politiques, conscientes de cet état d'esprit, luttent avec acharnement pour entraîner la jeunesse dans leurs rangs.

Les jeunes exigent d'abord des réponses aux problèmes qui les angoissent. Ils veulent d'abord, par-dessus tout, vaincre ce fléau terrible du chômage permanent et généralisé. Ils veulent aussi une conception du monde, une philosophie qui s'oppose aux conceptions officielles [2] démenties par la réalité. Et comme, en même temps, ils manquent d'expérience, ce dont on ne saurait leur faire grief, la complexité des rapports sociaux [3] leur échappe, et ils peuvent facilement s'enthousiasmer pour les idées simplistes qui paraissent répondre tant bien que mal à leurs aspirations [4].

(...) Non, les fascistes ne sont pas des révolutionnaires. Ce sont des révoltés, des hommes de domination et de servitude. C'est seulement dans les rangs de l'antifascisme que l'on trouve les véritables insurgés, ceux qui sont résolus à ne jamais abdiquer, ceux qui dénoncent sans compromission les gouvernements même de gauche toujours si disposés à pactiser avec les forces de la réaction.

in *La jeunesse devant le fascisme*, revue de juin 1934, éditée par le Comité d'action antifasciste et de vigilance (Rivet-Alain-Langevin).

---

1. La « révolte de la jeunesse » est présentée comme un facteur encourageant. Les anti-fascistes sont de gauche. La droite est au pouvoir depuis 1926, presque sans interruption.

2. Il ne faut pas s'étonner de voir Alain souscrire à cette formule. Au sein du parti radical, Alain milite à gauche, pour un renouvellement idéologique du parti.

3. Expression marxiste : un travail d'information, et même de formation s'impose, pour que la jeunesse puisse comprendre les différents facteurs de sa situation. Une « analyse de réalités », scientifiquement conduite, peut seule dissiper les fantasmes anarchiques de la révolte. C'est ici le communiste qui parle : la révolte n'est féconde que si elle préface la révolution, si elle est intégrée à un mouvement d'action et de réflexion critique et positif.

4. Les idées « simplistes » sont évidemment celles des fascistes.

● L'anarchisme ? Une révolte viscérale

> L'anarchisme n'est pas détruit par la guerre, au contraire ;
> décapité lors de la grande explosion des années 1900, dont
> les crimes de la « bande à Bonnot » étaient la dernière mani-
> festation, il renaît sous une forme intellectuelle après 1919.
> Daniel Guérin est l'un des représentants de cette tendance.

L'anarchisme est, avant tout, ce qu'on pourrait appeler une révolte viscérale.

Augustin Hamon, procédant, à la fin du siècle dernier, à un sondage d'opinion en milieu libertaire, concluait que l'anarchiste est d'abord un individu révolté. Il refuse en bloc la société et ses gardes-chiourme [1]. Il s'affranchit, proclame Max Stirner, de tout ce qui est sacré. Il accomplit une immense déconsécration. Ces « vagabonds de l'intelligence », ces « mauvaises têtes », « au lieu de considérer comme vérités intangibles ce qui donne à des milliers d'hommes la consolation et le repos, sautent par-dessus les barrières du traditionalisme, et s'abandonnent sans frein aux fantaisies de leur critique impudente. »

Proudhon rejette en bloc toute la « gent officielle », les philosophes, les prêtres, les magistrats, les académiciens, les journalistes, les parlementaires, etc., pour qui « le peuple est toujours le monstre que l'on combat, qu'on musèle et qu'on enchaîne ; que l'on conduit par adresse, comme le rhinocéros et l'éléphant, qu'on dompte par la famine ».

Son état permanent de révolte conduit l'anarchiste à ressentir de la sympathie pour les irréguliers, les hors-la-loi, à embrasser la cause du forçat ou de tout autre réprouvé. C'est bien injustement, estime Bakounine, que Marx et Engels parlent avec le plus profond mépris du « Lumpenproletariat », du « prolétariat en haillons », car c'est en lui et en lui seul, et non pas dans la couche embourgeoisée de la masse ouvrière, que résident l'esprit et la force de la future révolution sociale [2].

Daniel GUÉRIN, *L'Anarchisme*, éd. Gallimard.

---

1. L'expression date de l'anarchisme de 1900. On en trouve de semblables dans le langage de Ravachol, de Bonnot et de Raymond la Science.
2. Guérin retrouve ainsi une des tendances fondamentales de l'anarchisme, qui mise sur l'action directe et non sur l'action idéologique de « l'élite de la classe ouvrière » constituée en « parti » révolutionnaire.

● Un anarchisme anti-marxiste

> Il existe une autre tendance anarchique, intellectuelle
> et philosophique celle-là ; elle est volontiers anti-marxiste.
> Ses porte-parole reprochent à Marx de n'être pas allé
> jusqu'au bout de la révolte, d'avoir laissé subsister une
> société avec un État. André Nataf, dans ce texte abstrait,
> explique ses distances avec le marxisme.

Qu'il y ait un sens de l'histoire [1], cela constitue une
hypothèse nécessaire, mais reste à un niveau général
(archétypique, religieux). Il est indispensable d'adapter
le point de vue de « Dieu » (omniprésence, téléologie,
etc.) mais à la condition de vouloir la révolte. Cette
révolte définalise la gestuelle [2] qui sous-tend la vision.
Marx tue Dieu, mais assume, à son insu, une image de
celui-ci [3]. Il affirme en avoir fini avec l'homme abstrait
des philosophes ; mais, en fait, il le réalise [4].

La liberté ? Assumer la nécessité. L'adage est
archaïque. Hegel le remet à l'ordre du jour. Marx
« oblige » la philosophie à l'assumer. Par rapport à
la pensée, la nécessité devient alors la rébellion de la
non-pensée. Mais la prise en charge de la pauvreté
(psychique), loin de s'effectuer sur le mode de la
soumission, appelle au contraire à la révolte contre
toute nécessité. Elle épuise (par la tragédie) l'anti-
nomie [5] initiale. Jadis, la tragédie n'était que fiction
culturelle ; aujourd'hui elle s'inscrit dans le réel.

André NATAF, *La Révolution anarchiste*, éd. A. Bal-
land.

---

1. Le « sens de l'histoire » est l'un des éléments du marxisme. Dire que l'histoire a un sens signifie que la réalité n'est pas aveugle, mais orientée, qu'elle
subit une évolution dialectique.
2. L'action.
3. En définissant le monde comme en proie à une évolution dialectique, donc
comme une réalité pénétrée par l'« esprit », comme dit Hegel. Dieu est aboli
comme transcendance, il subsiste comme absolu, il coïncide avec le monde en
proie à l'histoire. La pensée s'installe dans un nouveau « panthéisme » où Dieu
est partout.
4. L'homme socialiste de la société sans classes, qui ignore la contradiction.
5. Il s'agit de la révolte (tragique) de celui qui subit l'histoire, et qui se révolte
contre sa propre soumission, échappant ainsi à la contradiction du maître et
de l'esclave.

● La révolution surréaliste

> La révolution surréaliste des années 20, dont André Breton fut l'un des leaders, vise à libérer l'homme de toutes les contraintes. Ce que les jeunes gens voulaient détruire d'abord et avant tout, c'est un esprit utilitaire et figé, une certaine habitude de penser et de dire. Se proclamant commencement absolu de la vie nouvelle, les surréalistes rejetaient en bloc le passé littéraire et la tradition. Redoutés des bourgeois, haïs des communistes (qui les appellent « les surréalo » et qui les excluent de leurs rangs au cours d'une purge célèbre), les surréalistes prônent une révolte à la fois intérieure et sociale qui doit favoriser un libre et total épanouissement de l'individu. Le mouvement surréaliste est l'un des plus féconds de la littérature contemporaine; il n'a pas fini d'exister. Il a désormais son histoire.

Bien conscients de la nature des forces qui troublent actuellement le monde, nous voulons, avant même de nous compter et de nous mettre à l'œuvre, proclamer notre détachement absolu, et en quelque sorte notre purification, des idées qui sont à la base de la civilisation européenne encore toute proche et même de toute civilisation basée sur les insupportables principes de nécessité et de devoir.

(...) L'époque moderne a fait son temps. La stéréotypie des gestes, des actes, des mensonges de l'Europe a accompli le cycle du dégoût[1]. C'est au tour des Mongols de camper sur nos places. La violence à quoi nous nous engageons ici, il ne faut craindre à aucun moment qu'elle nous prenne au dépourvu, qu'elle nous dépasse. Pourtant à notre gré, cela n'est pas suffisant encore, quoi qu'il puisse arriver. Il importe de ne voir dans notre démarche que la confiance abso-

---

1. Spinoza, Kant, Blake, Hegel, Schelling, Proudhon, Marx, Stirner, Baudelaire, Lautréamont, Rimbaud, Nietzsche : cette seule énumération est le commencement de votre désastre. (Note d'André Breton).

lue que nous faisons à tel sentiment qui nous est commun, et proprement au sentiment de la révolte, sur quoi se fondent les seules choses valables [1].

La Révolution Surréaliste, n° 5 (1925), éd. José Corti.

La confiance du surréalisme ne peut être bien ou mal placée, pour la seule raison qu'elle n'est pas placée. Ni dans le monde sensible, ni sensiblement en dehors de ce monde, ni dans la pérennité des associations mentales [2] qui recommandent notre exigence d'une exigence naturelle ou d'un caprice supérieur, ni dans l'intérêt que peut avoir l'« esprit » [3] à se ménager notre clientèle de passage. Ni encore bien moins, cela va sans dire, dans les ressources changeantes de ceux qui ont commencé de mettre leur foi en lui. Ce n'est pas un homme dont la révolte se canalise et s'épuise qui peut empêcher cette révolte de gronder, ce ne sont pas autant d'hommes qu'on voudra — et l'histoire n'est guère faite de leur montée à genoux — qui pourront faire que cette révolte ne dompte, aux grands moments obscurs, la bête toujours renaissante du « c'est mieux » [4]. Il y a encore à cette heure par le monde, dans les lycées, dans les ateliers même, dans la rue, dans les séminaires et dans les casernes, des êtres jeunes, purs, qui refusent le pli [5].

André BRETON, *Second Manifeste du surréalisme*, éd. Gallimard.

(...) Il importe de savoir à quelle sorte de vertus morales le surréalisme fait exactement appel puisque aussi bien il plonge ses racines dans la vie, et, non sans doute par hasard, dans la vie de ce temps, dès lors que je recharge cette vie d'anecdotes comme le ciel,

---

1. Fonder la « vie nouvelle » sur la révolte et la violence était nouveau dans le monde des lettres. Baudelaire se révoltait, mais dans le langage de Hugo. Ici la violence veut casser le langage, la raison, le verbe.

2. Les « associations mentales » sont un des processus de création familiers des surréalistes. Ils veulent libérer la pensée en la livrant aux automatismes de l'inconscient. L'écriture automatique était l'un de leurs procédés poétiques les plus courants.

3. L'esprit, entre guillemets, doit se concevoir au sens large de force de création et de pensée.

4. L'idée même de progrès, dans ce qu'elle a d'historique, est proscrite. La révolte surréaliste ne veut pas avoir de précédent. Elle refuse sa place dans l'histoire.

5. Le pli, c'est-à-dire l'habitude, la fatigue, la tristesse des gestes morts, mécaniques.

le bruit d'une montre, le froid, un malaise, c'est-à-dire que je me reprends à en parler d'une manière vulgaire. Penser ces choses, tenir à un barreau quelconque de cette échelle dégradée, nul n'en est quitte à moins d'avoir franchi la dernière étape de l'ascétisme. C'est même du bouillonnement écœurant de ces représentations vides de sens que naît et s'entretient le désir de passer outre à l'insuffisante, à l'absurde distinction du beau et du laid, du vrai et du faux, du bien et du mal [1]. Et, comme c'est du degré de résistance que cette idée de choix rencontre que dépend l'envol plus ou moins sûr de l'esprit vers un monde enfin habitable [2], on conçoit que le surréalisme n'ait pas craint de se faire un dogme de la révolte absolue, de l'insoumission totale, du sabotage en règle, et qu'il n'attende encore rien que de la violence. L'acte surréaliste le plus simple consiste, revolvers aux poings, à descendre dans la rue et à tirer au hasard, tant qu'on peut, sur la foule.

(...) En matière de révolte, aucun de nous ne doit avoir besoin d'ancêtres [3].

André BRETON, *Second Manifeste du surréalisme*,
éd. Gallimard.

● Contre la civilisation occidentale

Auteur de nombreux romans et poèmes, Louis Aragon n'a pas toujours été l'écrivain sage des Lettres Françaises. Il fut l'un des supporters les plus ardents de la Révolution surréaliste. Le texte de cette conférence prononcée à Madrid dans les années 20 résonne d'une façon très moderne, en dépit de quelques anachronismes.

Ah ! banquiers, étudiants, ouvriers, fonctionnaires, domestiques, vous êtes les fellateurs de l'utile, les branleurs de la nécessité. Je ne travaillerai jamais, mes mains sont pures. Insensés, cachez-moi vos paumes, et ces callus intellectuels dont vous tirez

---

1. C'est-à-dire l'esthétique, la science et l'éthique traditionnelles.
2. Celui-là ne l'est pas. Il est déshumanisé par l'habitude et la mécanique, chosifié.
3. La formule indique suffisamment le refus de l'histoire. Il n'y a pas de révolte absolue sans commencement absolu. Il faut rejeter en bloc plusieurs millénaires d'habitudes.

votre fierté. Je maudis la science, cette sœur jumelle du travail. Connaître! Etes-vous jamais descendus au fond de ce puits noir? Qu'y avez-vous trouvé, quelle galerie vers le ciel? Aussi bien, je ne vous souhaite qu'un grand coup de grisou qui vous restitue enfin à la paresse qui est la seule patrie de la véritable pensée [1]...

Nous aurons raison de tout. Et d'abord nous ruinerons cette civilisation qui vous est chère, où vous êtes moulés comme des fossiles dans le schiste. Monde occidental, tu es condamné à mort. Nous sommes les défaitistes de l'Europe [2]... Que l'Orient, votre terreur [3], enfin à notre voix réponde. Nous réveillerons partout les germes de la confusion et du malaise. Nous sommes les agitateurs de l'esprit. Toutes les barricades sont bonnes, toutes les entraves à vos bonheurs maudits. Juifs, sortez des ghettos. Qu'on affame le peuple, afin qu'il connaisse enfin le goût du pain de la colère [4]! Bouge, Inde aux mille bras, grand Brahma légendaire. A toi Égypte. Et que les trafiquants de drogue se jettent sur nos pays terrifiés [5]. Que l'Amérique au loin croule de ses buildings blancs au milieu des prohibitions [6] absurdes. Soulève-toi, monde! Voyez comme cette terre est sèche et bonne pour tous les incendies. On dirait de la paille. Riez bien. Nous sommes ceux-là qui donneront toujours la main à l'ennemi [7]...

Louis ARAGON, *La Révolution surréaliste*, Fragments d'une conférence prononcée à Madrid à la « Residencia des Estudiantes ».

---

1. L'idée que le « travail » et la science sont maudits est proprement anarchique; il s'agit, pour changer le monde, de lui refuser toute possibilité de progrès. Il faut ne rien faire, car, faire quelque chose, c'est travailler pour l'ordre ancien. La seule activité décente est l'invective ou l'attentat.

2. Le terme est anachronique. Aragon veut visiblement scandaliser les anciens combattants, grand mythe de l'après-guerre.

3. La vieille terreur des pays surpeuplés de Chine et d'Inde, qui reparaît périodiquement en Occident. L'avant-guerre de 1914 a connu, en France, la campagne de ceux qui demandaient la charité pour nourrir « les petits Chinois ».

4. C'est l'idée que le prolétariat, misérablement nourri, l'est encore trop pour qu'il se révolte.

5. L'idée de la drogue est en effet terrifiante, non seulement dans la mesure où elle menace la santé du corps social, mais où elle porte atteinte à la raison.

6. C'est l'idée même de la « prohibition » qui paraît absurde.

7. Nouvelle formule anachronique, qui rappelle celle de l'anarchisme des tranchées en 1917.

— Pourquoi les invectives d'Aragon contre le savoir, la science, la technique, considérées pendant cent ans à gauche comme sacrées?

— Valéry écrit, presque à la même époque « civilisations, nous savons maintenant que vous êtes mortelles ». Qu'est-ce qui justifie le point de vue d'Aragon?

— Les « agitateurs de l'esprit » : expliquez la formule. Dans quelle mesure entre-t-elle dans la définition du surréalisme ?

— Dans quelle mesure ce texte des années 20 est-il prémonitoire? L'évolution du monde depuis lors justifie-t-elle en partie les invectives du jeune poète?

— La dernière formule peut apparaître comme une provocation. A-t-elle une signification politique?

— Auteur des « Communistes » et des « Beaux Quartiers », Aragon est devenu un romancier communiste orthodoxe. Trouvez-vous dans cette conférence prononcée devant les étudiants de Madrid les signes d'une évolution ultérieure? Recherchez les expressions qui, derrière l'outrance du langage, laissent deviner les préoccupations constructives de l'auteur.

● Changer la vie

La révolution surréaliste a profondément marqué les esprits, et bien des créateurs des années 30 ne peuvent manquer de lui reconnaître une certaine dette. L'univers de Giraudoux, si merveilleusement détaché des habitudes, sinon du langage, s'apparente à la veine surréaliste. Ici Jérôme Bardini, Français moyen parfaitement heureux, très bien adapté à son petit univers décide un jour de tenter le grand recommencement, d'aborder d'un cœur neuf la vie nouvelle.

Bardini avait mûri depuis si longtemps son projet qu'il agit comme en hypnose [1]. Sans chapeau, il était obligé de répondre par des sourires ou des signes

---

1. Poussé par un rêve. L'aventure de Bardini s'apparente au subconscient. Le cinéma, avec Bunuel, a fait volontiers usage de ces rêves qui manifestent la personnalité sous un jour poétique.

aux épiciers, à la notairesse, au garde-champêtre qui le saluaient pour la dernière fois et il regrettait d'avoir à donner ce congé vraiment trop personnel à ces fantômes. Par le bourg, puis les champs, il gagna à six kilomètres la jeune courbe par laquelle la Seine répète presque à sa source la courbe de la Concorde, se déshabilla dans le pré déjà repéré [1], laissa ses vêtements sur la berge, comme il l'indiquait à sa femme dans la lettre pour qu'elle choisît à son gré de le faire passer pour disparu ou pour mort, et plongea. Il nagea avec délices. L'affaire ne serait pas si mauvaise, d'homme devenir poisson [2]. Tout ce qui avait pu rester sur lui du parfum de Renée s'écoulait déjà sur Paris, remplacé par l'odeur prise au cœur des plateaux de Saint-Germain-La-Feuille. Il s'amusa à contrarier le courant, il était agréable de refaire ses premiers gestes dans un nouvel élément [3], il s'amusa à lui céder, à plonger, à taquiner la mort, mode de disparition peut-être à cultiver. Il dut sortir de l'eau pour venir prendre dans son portefeuille le petit sac imperméable avec les deux mille dollars qu'il emportait, dollars économisés un à un depuis trois ans, comme pour un cadeau de fête, cadeau de sa seconde vie. Ses vêtements étendus avaient de loin sa forme; il ne s'émut pas trop devant cette dépouille, devant son faux cadavre; il se félicita d'en avoir fini avec ces deux boutons à chaînette offerts par Fontranges, avec cette même épingle de cravate offerte par Bellita [4]. Veston et pantalon, qui n'auraient plus chaque jour comme forme l'être pour lequel ils avaient été faits, étaient avachis pour toujours. Il avait là le premier désespoir, la première dépravation que causerait son départ. Il toucha cette étoffe, il

---

1. Le déshabillage prend un sens rituel et symbolique. Changer de vêtements, c'est presque , pour Jérôme Bardini, changer de peau.
2. Puisqu'il s'agit de dépouiller le vieil homme , pourquoi ne pas changer aussi d'éléments. On songe aux vers d'Éluard :
« J'étais comme un poisson nageant dans l'eau fermée.
Comme un mort, je n'avais qu'un unique élément. »
3. Bardini veut échapper à sa dimension, à son corps d'humain, pour changer complètement sa vie.
4. Il s'agit ici de se dépouiller des habitudes de la vie quotidienne. Dans sa révolte froide et réfléchie, Bardini sacrifie un à un tous les éléments de fixation au passé.

toucha ses boutonnières avec un peu de pitié comme
il eût touché la peau, la bouche de Jérôme mort [1].
Il vit les places un peu usées, celles par lesquelles il
avait un peu trop appuyé contre sa première vie.
Il caressa son coude, si lustré, par lequel il avait pu,
souvent, soutenir cette tête maintenant évadée. Mais
on n'embrasse pas son cadavre privé de sa tête. Il
replongea, le sac entre les dents, il aborda l'autre
rive en naufragé qui fuit son radeau pour gagner l'île.
Dans un de ces saules creux où les Parisiens en
vacances croient que se logent les vagabonds et les
hiboux, il trouva les vêtements cachés voilà huit
jours et la petite valise en cuir dur avec laquelle
Wilson se promenait à Paris. Il s'habilla. Malgré lui
il avait pris une allure d'Américain en franchissant la
Seine, à croire que c'était l'Océan... Vraiment, c'est
seulement en Américain qu'on peut se promener
incognito parmi les hommes, et dans l'art, la musique,
— et même, il le constatait, parmi les arbres. Voilà
enfin que sa personnalité de Bardini n'apparaissait
plus dans ses rapports avec les pommiers, les pruniers !
Il n'eût pas été devant des Orangers de Marrakech
plus tendre, plus neuf, il les étreignit. Une minute
il fut, non comme s'il avait changé, mais comme si les
êtres qui l'environnaient s'étaient changés en arbres...
[...].

Il s'étendit, coupa une baguette, laissa sans s'en
douter une bouffée d'enfance l'emplir au lieu d'une
bouffée de liberté, fit un sifflet d'écorce, voulut y
graver ses initiales, se rappela qu'il n'en avait plus,
se demanda lesquelles il allait désormais choisir,
quel nom, quel prénom, allait être le sien, et cette
voluptueuse incertitude qu'il avait éprouvée à propos
des métiers, il la ressentit soudain à propos des noms
propres, à propos des pays ! Ah ! non certes ! Il ne
quittait pas un foyer heureux, une femme jolie, un
district riche, pour garder les qualités et défauts des
Français pour s'appeler Durand ou Berthon, pour
être un spécimen de sagesse antique, défiance, avarice,

---

1. La révolte va jusqu'au bout du rêve. L'idéal pour Jérôme serait une résur-
rection. Mais pour renaître, il faut mourir.

et autres particularités de sa première nation [1]. Enfin, il allait pouvoir être à sa guise du pays où l'on est loyal, confiant, jeune, prodigue, avoir pour capitales ces villes, Vancouver, Christiania, qui avaient représenté pour lui le voyage, quand il confondait, — mais que n'avait-il pas confondu avec ce second mot! — voyage et liberté. Du reste il s'en moquait, il formait cette nation à lui tout seul... Un avion passa. Il sourit à ce symbole de la liberté qui allait sur un fil de fer invisible du camp de Romilly au camp de Langres. Il était un des seuls hommes qui ne prissent pas leur liberté dans des cages de fer, comme les aviateurs, les inventeurs...

Jean GIRAUDOUX, *Aventures de Jérôme Bardini*,
éd. Grasset.

● L'art comme révolte permanente

André Malraux a longtemps parcouru le monde à la recherche des révolutions. Cinéaste, romancier, journaliste et combattant, il a réalisé d'Orient en Occident la révolte de l'écrivain engagé dans un monde qu'il veut changer. Mais la révolte de l'écrivain l'a rendu sensible à celle de l'artiste, car la révolution surréaliste n'a pas affecté que la littérature, elle a gagné tous les arts. Pénétrées de marxisme et de freudisme ses *Voix du Silence* donnent de l'art une interprétation qui n'est pas historique au sens traditionnel. Malraux voit non pas l'histoire de l'art, mais l'art dans l'histoire, comme révolte permanente.

« L'homme qui n'a pas été, dès son berceau, doté de l'esprit de mécontentement de tout ce qui existe, n'arrivera jamais à la découverte du nouveau. » Cette phrase de Wagner, qui définit le romantique, éclaire la période de formation de tout grand artiste, à la condition de ne pas oublier les œuvres d'art dans tout ce qui existe. Pour un modeleur sumérien comme

---

1. Il s'agit ici du stock culturel courant qui accompagne le Français moyen dans son existence.

pour Raphaël, c'est à la rupture que l'art commence ; elle n'est pas l'art, mais il n'y a pas d'art sans elle.

(...) Si la rupture sans laquelle le schème ne peut exister, et qui se trouve à l'origine de l'œuvre de tout grand artiste, est désaccord, elle n'est pas nécessairement accusation : Giotto, Rubens, Chardin, rejettent les formes dont ils sont nés, non le monde. Rebelle ou serein, tout grand artiste appelle une métamorphose ; mais il lui arrive de penser qu'« il y a plus de noblesse et de bonheur au monde, Horatio, que dans le musée [1] ». Le génie de Goya veut arracher au monde son masque d'imposture, mais celui de Giotto veut lui arracher son masque de douleur.

L'admirable refus, par les peintres modernes, de l'art que respectait la société de leur temps, nous porte à voir dans l'art même une des formes les plus hautes de l'accusation. De la Piéta de Villeneuve jusqu'à Van Gogh (comme de Villon à Rimbaud et à Dostoïevsky) le hululement prométhéen qui trouva son plus ample accent chez Rembrandt et chez Michel-Ange, se déploie sur l'art jusqu'à devenir le cri que l'Europe hurle à la mort. Mais si la grande aventure individualiste est peuplée de prophètes de la solitude, cette solitude n'est pas toujours abandonnée. Ceux qui récusaient moins la vie même qu'un temps déshérité du monde, ou ce qu'ils tenaient pour l'expression misérable de l'homme ; ceux pour qui le mensonge de la vie était précisément le masque inarraché de la douleur, ne montrent pas, avec les formes dont ils sont nés, un désaccord moins grand que celui des accusateurs. Ils sont la longue école de l'accusation bienveillante, et qui parfois se veut rédemptrice [2]. Leurs épigones s'unissent, dans notre esprit, à la décomposition où l'agonie de l'antique pourrit avec tous ceux que depuis deux siècles elle a satisfaits. Mais la lignée des maîtres de l'Acropole et de Reims,

---

1. Shakespeare.
2. La mise en accusation de l'art des musées, c'est la façon de l'artiste de revendiquer l'imaginaire. Il ne peut créer qu'en reniant les formes qui existent avant lui, devant lui. Qu'il soit révolté ou « bienveillant » il est de toute façon destructeur. C'est l'art et non l'artiste qui est une révolte.

Masaccio, Piero, Raphaël? Rubens, Titien, Fragonard, Renoir, Vermeer, Chardin, Corot, Braque?

— Entre ceux que des œuvres d'art fascinent, l'artiste seul veut aussi les détruire.

C'est contre un style que lutte tout génie, depuis le schème obscur qui l'anime à l'origine, jusqu'à la proclamation de sa vérité conquise; le schème architectural des paysages de Cézanne n'est pas né d'un conflit avec les arbres, mais d'un conflit avec le musée [1]. Et la conquête du style de tout grand artiste coïncide avec celle de sa liberté, dont elle est la seule et le seul moyen. L'histoire de l'art est celle des formes inventées contre les formes héritées. Si ce qui sépare le génie de l'homme de talent, de l'artisan, voire de l'amateur, n'est pas l'intensité de sa sensibilité aux spectacles, ce n'est pas non plus seulement celle de sa sensibilité aux œuvres d'art des autres : c'est que, seul entre ceux que ces œuvres fascinent, il veuille aussi les détruire.

A. MALRAUX, *Les Voix du Silence*, éd. Gallimard.

---

1. Les formes créées par Cézanne démentent, contredisent, d'autres formes créées par des peintres antérieurs, et qui figurent, au temps de Cézanne, dans les musées.

— Malraux commence par affirmer que tout art est la recherche d'une « rupture ». Il s'agit de rompre avec une continuité, d'imaginer du nouveau. Mais dans rupture, il n'y a pas nécessairement révolte. Le « mécontentement » devant le monde, affirmé par Wagner, est une attitude romantique. Les classiques furent des créateurs. Ils n'étaient pas des révoltés.

— La révolte de l'artiste commence quand son art met le siècle en accusation. Il est vrai que dans les « désastres de la guerre » de Goya, et même dans le portrait de la famille royale d'Espagne, le peintre met en accusation la guerre et la décadence, la société de son temps. Il veut « arracher au monde son masque d'imposture ».

— Malraux lui-même, comme romancier, était de ceux qui « récusaient moins la vie même qu'un temps déshérité du monde ». Il est donc concevable que la révolte de l'artiste ne soit pas incompatible avec la révolte de ceux que la société

exploite. *Les Voix du Silence* sont une œuvre d'âge mûr. Elles jugent sereinement de la création artistique. Malraux admet les prophètes de la douleur, ceux qui prêchent la résignation, l'isolement, le recueillement. Mais l'auteur de *L'Espoir* et de *La Condition Humaine* n'a pas été de ceux-là.
— Malraux comprend et encourage la sacralisation de l'art dans les musées. Il admet que les œuvres d'art « fascinent ». Mais le propre de l'artiste est de se révolter contre cette fascination, et d'abord contre le musée. La création est à la merci de cette révolte, de ce refus d'un art déjà fait, d'un monde déjà ordonné. Il faut, selon Malraux, du désordre pour imaginer. Il faut tuer les grandes œuvres pour en faire de nouvelles. L'histoire de l'art est pour lui le cheminement des grandes révoltes individuelles surmontées dans la création.

● Révolte de l'adolescence

Auteur de « pièces roses » mais aussi de « pièces noires », le « tendre » Anouilh, dans « La Sauvage » évoque la révolte de l'adolescence contre son passé, sa famille, son histoire future. Cette volonté de vivre résolument, absolument, dans le présent, d'élargir le présent jusqu'à l'éternel, de lui refuser tout lien avec l'avant et l'après, de nier en quelque sorte le temps, est une des caractéristiques fondamentales de l'adolescence. La jeune fille indignée d'Anouilh peut se comparer, dans sa démarche, avec le Bardini de Giraudoux.

TARDE. — (...) J'ai aimé, moi aussi, ma petite — pas ta mère — plus tard... une harpiste qui a fait un moment partie de l'orchestre. Une longue créature d'un chic inimitable. Eh bien, je te jure que pareille complication ne me serait jamais venue à l'idée... Et pourtant, dans un sens, je suis plus passionné que toi.

THÉRÈSE. — Il ne te serait pas venu à l'idée non plus d'être exprès grossier, exprès méchant... De te cramponner de toutes tes forces à travers ta pauvre révolte?

TARDE. — Ma révolte? Quelle révolte? Explique-toi, nom d'une pipe! Tu es en train de me dire des choses extrêmement graves et tu t'arranges pour que je ne les comprenne pas. Contre qui es-tu révoltée?

THÉRÈSE. — (...) Contre lui et contre tout ce qui lui ressemble ici.

TARDE. — Tout ce qui lui ressemble? Qu'est-ce qui lui ressemble?

THÉRÈSE. — Sa maison qui n'a l'air si claire et si accueillante le premier jour que pour mieux vous faire comprendre après que vous n'êtes pas fait pour elle. Ses meubles dont aucun n'a l'air de vouloir de moi. Papa, je cours quand je traverse le salon toute seule. Chaque fauteuil m'adresse un reproche de vouloir m'implanter ici. Et toutes ces vieilles dames dans ces cadres! (...)

Je me promène nue tous les soirs devant celles de ma chambre. (...) Et ses livres, tiens, ses livres [1] qui sont tous ses amis — pire, ses complices — qui lui ont parlé, qui l'ont aidé à devenir lui; ses livres qui le connaissent mieux que moi et que je ne connais même pas, moi, pour me défendre. Oh, mais je les ai repérés de dos, va, si je ne les ai pas lus!

(...) Tiens, regarde ce que j'en fais de ses livres. (Elle les jette par terre)

(...) Tout est ici avec lui contre moi : le petit bureau d'écolier sur lequel il faisait ses devoirs de vacances pendant que moi, je courais les rues — le petit bureau qui n'a l'air de rien — est son complice... (elle montre un portrait).

Et sa mère, elle est morte, elle aurait pu me laisser tranquille, celle-là, dans son cadre. Mais même les morts sont ses complices, je le sais bien (...) (elle s'arrête devant le portrait de la mère) [2]. Ah! ils peuvent s'attendrir sur elle, elle peut sourire dans son cadre. C'est bien malin d'arriver dans une maison comme une vraie fiancée, sans honte et sans révolte — et d'être claire et douce — et de se faire aimer.

Jean ANOUILH, *La Sauvage*, acte II, éd. de La Table ronde.

---

1. En tant que symboles du passé, mais plus précisément du passé de son fiancé, c'est-à-dire de la partie de vie qui lui échappe, les livres sont particulièrement odieux à la jeune « sauvage ». Ils sont le signe même du temps, de l'éducation, de la culture, de tout ce qui n'est pas elle et son pur « présent ».

2. La mère est le symbole éminent de la transmission de la vie, donc de l'histoire. Que son fiancé ait eu une mère enlève au présent de la sauvage quelque chose de son absolu, de sa nouveauté.

● **Dégoût des hommes et du monde**

> Le *Voyage au bout de la nuit* de Louis-Ferdinand
> Céline est probablement l'une des œuvres les plus origi-
> nales de l'entre-deux-guerres. Céline n'a pas besoin de
> manifeste pour bouleverser le langage, ni de doctrine
> pour dire son dégoût de la société. D'autres pensent
> l'anarchie. Lui la vit, et l'écrit comme il la vit, s'en repen-
> tant ensuite bouffonnement, comme dans ce texte...

Ah, on remet le « Voyage » en route.

Ça me fait un effet.

Il s'est passé beaucoup de choses depuis quatorze
ans...

Si j'étais pas tellement contraint, obligé pour gagner
ma vie, je vous le dis tout de suite, je supprimerais
tout. Je laisserais pas passer plus une ligne [1].

Tout est mal pris. J'ai trop fait naître de malfai-
sances.

Regardez un peu le nombre de morts, des haines
autour... ces perfidies... le genre de cloaque que ça
donne... ces monstres...

Ah, il faut être aveugle et sourd !

Vous me direz : mais c'est pas le « Voyage » ! Vos
crimes-là que vous en crevez, c'est rien à faire ! c'est
votre malédiction vous-même ! votre « Bagatelles » !
vos ignominies pataquès ! votre scélératesse imageuse,
bouffonneuse ! La justice vous arquinque ? garotte ?
Eh foutre, que plaignez ? Zigoto !

Ah mille grâces ! mille grâces ! Je m'enfure ! furerie !
pantèle ! Bomine ! Tartufes ! Salsifis [2] ! Vous m'er-
rerez pas ! C'est pour le « Voyage » qu'on me cherche !
Sous la hache, je l'hurle ! c'est le compte entre moi et
« Eux » ! au tout profond... pas racontable... On est
en pétard de mystique ! Quelle histoire !

Si j'étais pas tellement contraint, obligé pour gagner
ma vie, je vous le dis tout de suite, je supprimerais

---

1. Céline est au bout de sa révolte. A quoi bon écrire, pour dire son dégoût
des hommes et du monde. Il veut aussi cracher sur son œuvre.
2. Ces créations continuelles de mots étranges et savoureux évoquent Rabelais.
Céline est après Rabelais le plus grand inventeur de mots de la langue française.

tout. J'ai fait un hommage aux chacals!... Je veux!... Aimable!... Le don d'avance... « Denier à Dieu »!... Je me suis débarrassé de la Chance... dès 36... aux bourelles! Procures! Roblots!... Un, deux, trois livres admirables à m'égorger! Et que je geigne! J'ai fait le don! J'ai été charitable, voilà [1]!

Le monde des intentions m'amuse... m'amusait... il ne m'amuse plus.

Si j'étais pas tellement astreint, contraint, je supprimerais tout... surtout le « Voyage »... Le seul livre vraiment méchant de tous mes livres c'est le « Voyage »... Je me comprends... Le fond sensible...

Tout va reprendre! Ce Sarabbath! Vous entendrez siffler d'en haut, de loin, de lieux sans noms : des mots, des ordres...

Vous verrez un peu ces manèges!... Vous me direz...

Ah, n'allez pas croire que je joue! Je ne joue plus... je suis même plus aimable.

Si j'étais pas là tout astreint, comme debout, le dos contre quelque chose... je supprimerais tout.

CÉLINE, *Voyage au bout de la nuit*, éd. Gallimard.

● **Qu'est-ce qu'un homme révolté?**

Philosophe de l'absurde, mais journaliste de « combat », c'est-à-dire de l'engagement, Albert Camus, avec l'*Homme Révolté* fait de la révolte un de ses thèmes de réflexion familiers. Militante, morale, vigoureuse, sa pensée dépasse la révolte pour en faire un combat, contre l'injuste, l'absurde, le scandaleux. Si Camus aime la révolte, c'est dans la mesure où ce méditerranéen aime la lumière et la vie : c'est l'ombre de la nuit qui prépare les jours meilleurs.

Qu'est-ce qu'un homme révolté? Un homme qui dit non. Mais s'il refuse, il ne renonce pas [2] : c'est

---

1. Ironique : j'ai cru que cela pouvait servir à quelque chose de dire aux hommes tout le mal que je pense d'eux.
2. Ne pas renoncer : la pensée de Camus est tout entière présente dans la formule. Pour la génération de la résistance, le pessimisme de la révolte n'est plus de mise. Le nihilisme surréaliste est mort. Un vent d'espoir a bouleversé le vieux monde. Se révolter, oui, mais pour construire un monde meilleur. Camus est un écrivain « engagé ».

aussi un homme qui dit oui, dès son premier mouvement. Un esclave qui a reçu des ordres toute sa vie, juge soudain inacceptable un nouveau commandement. Quel est le contenu de ce « non »?

Il signifie, par exemple, « les choses ont trop duré », « jusque-là oui, au-delà non », « vous allez trop loin », et encore, « il y a une limite que vous ne dépasserez pas ». En somme, ce non affirme l'existence d'une frontière. On retrouve la même idée de limite dans ce sentiment du révolté que l'autre « exagère », qu'il étend son droit au-delà d'une frontière à partir de laquelle un autre lui fait face et le limite. Ainsi, le mouvement de révolte s'appuie, en même temps, sur le refus catégorique d'une intrusion jugée intolérable et sur la certitude confuse d'un bon droit, plus exactement l'impression, chez le révolté, qu'il est « en bon droit de... ». La révolte ne va pas sans le sentiment d'avoir soi-même, en quelque façon, et quelque part, raison [1]. C'est en cela que l'esclave révolté dit à la fois oui et non. Il affirme, en même temps que la frontière, tout ce qu'il soupçonne et veut préserver en deçà de la frontière. Il démontre, avec entêtement, qu'il y a en lui quelque chose qui « vaut la peine de... », qui demande qu'on y prenne garde. D'une certaine manière, il oppose à l'ordre qui l'opprime une sorte de droit à ne pas être opprimé au-delà de ce qu'il peut admettre.

En même temps que la répulsion à l'égard de l'intrus, il y a dans toute révolte une adhésion entière et instantanée de l'homme à une certaine part de lui-même. Il fait donc intervenir implicitement un jugement de valeur, et si peu gratuit, qu'il le maintient au milieu des périls. Jusque-là, il se taisait au moins, abandonné à ce désespoir où une condition, même si on la juge injuste, est acceptée. Se taire, c'est laisser croire qu'on juge et ne désire rien et, dans certain cas, c'est ne désirer rien en effet. Le désespoir, comme l'absurde, juge et désire tout, en général, et rien, en

---

1. Avoir raison : on songe à *poésie ininterrompue* d'Éluard : « aurais-je un jour réponse à tout et réponse à personne ». Avoir raison... C'est le contraire même de la démarche surréaliste. La révolte a changé de sens, donc de contenu. La guerre est passée par là.

particulier. Le silence le traduit bien. Mais à partir du moment où il parle, même en disant non, il désire et juge. Le révolté, au sens éthymologique, fait volte-face. Il marchait sous le fouet du maître. Le voilà qui fait face. Il oppose ce qui est préférable à ce qui ne l'est pas. Toute valeur n'entraîne pas la révolte, mais tout mouvement de révolte invoque tacitement une valeur [1].

Albert CAMUS, *L'Homme Révolté*, éd. Gallimard.

L'art aussi est ce mouvement qui exalte et nie en même temps. « Aucun artiste ne tolère le réel », dit Nietzsche. Il est vrai; mais aucun artiste ne peut se passer du réel. La création est exigence d'unité et refus du monde. Mais elle refuse le monde à cause de ce qui lui manque et au nom de ce que, parfois, il est. La révolte se laisse observer ici, hors de l'histoire, à l'état pur, dans sa complication primitive. (...)

(...) Dans toute révolte se découvrent l'exigence métaphysique de l'unité, l'impossibilité de s'en saisir, et la fabrication d'un univers de remplacement. La révolte, de ce point de vue, est fabricatrice d'univers. Ceci définit l'art, aussi. L'exigence de la révolte, à vrai dire, est en partie une exigence esthétique. Toutes les pensées révoltées (...) s'illustrent dans une rhétorique ou un univers clos. La rhétorique [2] des remparts chez Lucrèce, les couvents et les châteaux verrouillés de Sade, l'île ou le rocher romantique, les cimes solitaires de Nietzsche, l'océan élémentaire de Lautréamont, les parapets de Rimbaud, les châteaux terrifiants qui renaissent, battus par un orage de fleurs, chez les surréalistes, la prison, la nation retranchée, le camp de concentration, l'empire des libres esclaves, illustrent à leur manière le même besoin de cohésion et d'unité. Sur ces mondes fermés, l'homme peut régner et connaître enfin.

---

1. Camus est un moraliste.
2. Il faut entendre rhétorique au sens large : à la fois les mots et les images que portent les mots dans la phrase poétique : ainsi les « parapets » du *bateau ivre* de Rimbaud, qui symbolisent les défenses du vieux monde.

(...) L'art conteste le réel, mais ne se dérobe pas à lui. Nietzsche pouvait refuser toute transcendance, morale ou divine, en disant que cette transcendance poussait à la calomnie de ce monde et de cette vie. Mais il y a peut-être une transcendance vivante, dont la beauté fait la promesse, qui peut faire aimer et préférer à tout autre ce monde mortel et limité. L'art nous ramène ainsi aux origines de la révolte, dans la mesure où il tente de donner sa forme à une valeur qui fuit dans le devenir perpétuel, mais que l'artiste pressent et veut ravir à l'histoire.

Ibid.

« L'obsession de la moisson et l'indifférence à l'histoire, écrit admirablement René Char, sont les deux extrémités de mon arc. » Si le temps de l'histoire n'est pas fait du temps de la moisson, l'histoire n'est en effet qu'une ombre fugace et cruelle où l'homme n'a plus sa part. Qui se donne à cette histoire ne se donne à rien et à son tour n'est rien. Mais qui se donne au temps de sa vie, à la maison qu'il défend, à la dignité des vivants, celui-là se donne à la terre et en reçoit la moisson qui ensemence et nourrit à nouveau. Pour finir, ceux-là font avancer l'histoire qui savent, au moment voulu, se révolter contre elle aussi [1]. Cela suppose une interminable tension et la sérénité crispée dont parle le même poète. Mais la vraie vie est présente au cœur de ce déchirement. Elle est ce déchirement lui-même, l'esprit qui plane sur des volcans de lumière, la folie de l'équité, l'intransigeance exténuante de la mesure. Ce qui retentit pour nous aux confins de cette longue aventure révoltée, ce ne sont pas des formules d'optimisme, dont nous n'avons que faire dans l'extrémité de notre malheur, mais des paroles d'intelligence et de courage qui, près de la mer, sont vertu.

Aucune sagesse aujourd'hui ne peut prétendre à donner plus. La révolte bute inlassablement contre le

---

1. Se révolter contre l'histoire ne signifie plus pour Camus, comme pour les surréalistes, l'abolir, mais la dépasser vers un futur qui, on le sait, s'intégrera un jour à l'histoire.

mal, à partir duquel il ne lui reste plus qu'à prendre un nouvel élan. L'homme peut mépriser en lui tout ce qui doit l'être. Après quoi les enfants mourront toujours injustement, même dans la société parfaite. Dans son plus grand effort, l'homme ne peut que se proposer de diminuer arithmétiquement la douleur du monde. Mais l'injustice et la souffrance demeureront et, si limitées soient-elles, elles ne cesseront pas d'être le scandale [1]. Le « pourquoi? » de Dmitri Karamazof continuera de retentir; l'art et la révolte ne mourront qu'avec le dernier homme.

Ibid.

● Entre l'engagement et l'absurde

> Ancien de la révolte surréaliste, Roger Vailland est, comme Aragon, comme Éluard, un écrivain communiste. *Bon pied, bon œil* participe de cette fascination du communisme, conçu, comme au temps de la résistance, comme un combat de camarades pour un idéal de monde meilleur. Mais, dans ce texte, Vailland semble se souvenir du surréalisme, mêlant tout à coup, au milieu du combat, l'amertume du sentiment de l'absurde.

Je pense à Albéran et à Rodrigue [2], qui sont en prison, aux partisans grecs et espagnols, que des bourreaux sont en train de torturer. Je pense à ces paysans désarmés, dans la brousse du Viet-Nam, qui viennent d'apprendre que leur village est cerné, et qui attendent, le cœur battant épouvantablement, que surgissent les Blancs, celui qui porte l'essence, avec quoi l'on met le feu aux maisons et aux hommes, celui qui porte le téléphone, vous savez cette pile électrique qu'on branche sur le front et sur le sexe, et puis le courant passe, celui qui tient les chiens et le plus compatissant, celui qui tue d'une balle dans la nuque. Je pense aussi aux bourreaux qui sont méchants. Je pense à vous qui êtes seule.

---

1. C'est contre ce scandale que la révolte est, pense Camus, éternellement légitime.
2. Militants communistes.

A tale, told by an idiot, full of sound and fury, and signifying nothing, ainsi Shakespeare définit quelque part la vie. Je sais bien que pour le combattant, le combat n'est pas absurde et que pour les meilleurs des hommes, enfin pour ceux parmi lesquels j'aime choisir mes amis, la vie est un combat, qui signifie quelque chose. Mais ce soir, je ne combats pas. Du haut de ma montagne, comme vous dites, je suis spectateur et j'ai le cœur navré que la vie m'apparaisse comme *une histoire racontée par un fou, pleine de bruit et de fureur et ne signifiant rien* [1].

J'oubliais de vous parler de la servante qui est malade, et dont personne ne se soucie. Elle couche sous les combles de la bergerie. Je suis allé la voir tout à l'heure, elle était ramassée sur elle-même, pelotonnée dans les draps moites, elle ouvrait de grands yeux épouvantés. La lumière brille encore dans sa chambre, elle ne dormira pas cette nuit : elle est comme vous, comme moi, l'être le plus seul dans le monde [2]. Rien ne comble jamais la solitude, sinon peut-être la camaraderie de combat, le lien fraternel qui, d'une prison à l'autre, unit Rodrigue à Albéran et tous les deux à leur parti.

Roger VAILLAND, *Bon Pied, Bon Œil*, éd. Buchet-Chastel.

● **Révolte du mal contre Dieu**

Philosophe et dramaturge de l'absurde, Sartre est par ailleurs, comme Camus, un écrivain de l'engagement et du combat. Sa participation à la bataille des Intellectuels pour la décolonisation, l'appui marqué qu'il a prêté au mouvement castriste, la part prise par sa revue *Les Temps Modernes* dans le mouvement mondial d'émancipation font du philosophe français une sorte de nouveau Voltaire,

---

1. Le « spectateur » garde sa révolte pour lui. Le monde, et le combat pour changer le monde, lui semblent soudain une tâche vaine : c'est le désespoir du combattant.
2. La solitude, et le sentiment de la misère du monde, sont un scandale contre lequel on n'a plus, parfois, la force de se révolter.

toujours à l'affût d'un scandale, d'un combat, d'une révolte. Le refus hautain et motivé qu'il fit du Prix Nobel lui a donné une position morale incontestable parmi les forces de contestation qui se lèvent partout dans le monde. Assumer la révolte, l'aider à trouver une signification, se situer soi-même à sa vraie place dans le monde en révolte, c'est pour Sartre le devoir du philosophe.

Ce passage extrait de la pièce *Le Diable et le Bon Dieu* illustre le thème métaphysique de la révolte du mal contre Dieu. Goetz, c'est le mal. Mais peut-il se révolter contre les victimes, s'il se révolte contre le bourreau?

NASTY. — Tu ne continueras à n'être qu'un vacarme inutile?

GŒTZ. — Inutile. Oui. Inutile aux hommes. Mais que me font les hommes? Dieu m'entend, c'est à Dieu que je casse les oreilles et ça me suffit, car c'est le seul ennemi qui soit digne de moi. Il y a Dieu, moi et les fantômes. C'est Dieu que je crucifierai cette nuit, sur toi et sur vingt mille hommes parce que sa souffrance est infinie et qu'elle rend infini celui qui le fait souffrir. Cette ville va flamber. Dieu le sait. En ce moment il a peur, je le sens; je sens son regard sur mes mains, je sens son souffle sur mes cheveux, ses anges pleurent. Il se dit « Gœtz n'osera peut-être pas » — tout comme s'il n'était qu'un homme. Pleurez, pleurez les anges : j'oserai [1]. Tout à l'heure, je marcherai dans sa peur et dans sa colère. Elle flambera : l'âme du Seigneur est une galerie de glaces, le feu s'y reflétera dans des millions de miroirs. Alors je saurai que je suis un monstre tout à fait pur [2]. (A Frantz) : Mon ceinturon!

NASTY. — (D'une voix changée)

Épargne les pauvres. L'Archevêque est riche, tu peux te divertir à le ruiner, mais les pauvres, Gœtz, ça n'est pas drôle de les faire souffrir.

Jean-Paul SARTRE, *Le Diable et le Bon Dieu*, IIIe tableau, scène V, éd. Gallimard.

---

1. Le défi est la rhétorique de la révolte.
2. Le mal, et la possibilité d'aller jusqu'au bout du mal, c'est la préoccupation de Gœtz tout au long de la pièce.

● Le refus comme condition de progrès

De nombreux écrivains, essayistes, auteurs de théâtre ou de cinéma ont été inspirés par l'existentialisme et par sa révolte contre un monde absurde, injuste et laid. Pour beaucoup, la révolte, qui commence à l'enfance, est la nécessité même de la vie. Il n'est pas normal, il n'est pas raisonnable de ne pas vouloir changer le monde. Dans son développement psychologique normal, l'enfant, à l'image de l'histoire, rejette ce qu'il refuse : ses parents, Dieu, le monde; il ne progresse que dans la mesure où il refuse. Telle est la thèse illustrée par Georges Bataille.

« Mais qu'est-ce au fond, dit Sartre, que Satan, sinon le symbole des enfants désobéissants et boudeurs qui demandent au regard paternel de les figer dans leur essence singulière et qui font le Mal dans le cadre du Bien pour affirmer leur singularité et la faire consacrer [1]? » Évidemment la liberté de l'enfant (ou du diable) est limitée par l'adulte (ou par Dieu) qui en fait une dérision (qui la minorise) : l'enfant nourrit dans ces conditions des sentiments de haine et de révolte, que freinent l'admiration et l'envie. Dans la mesure où il glisse à la révolte, il assume la responsabilité de l'adulte. Il peut, s'il le veut, s'aveugler de plusieurs façons : prétendre s'emparer des prérogatives majeures de l'adulte, sans admettre pour autant les obligations qui leur sont liées (c'est l'attitude naïve, le bluff qui demande la parfaite puérilité); prolonger une vie libre aux dépens de ceux qu'il amuse (cette liberté boiteuse est traditionnellement le fait des poètes); payer les autres et lui-même de mots, lever par l'emphase le poids d'une réalité prosaïque.

(...) Je crois que l'homme est nécessairement dressé contre lui-même et qu'il ne peut se reconnaître, qu'il

---

1. Dans le cadre du Bien signifie : les enfants font le mal en sachant qu'il est le mal, donc en admettant le bien; l'absence de morale rendrait vaine la révolte contre la morale.

ne peut s'aimer jusqu'au bout, s'il n'est pas l'objet d'une condamnation [1].

Georges BATAILLE, *La Littérature et le Mal*, Baudelaire, Idées, éd. Gallimard.

● **Vomir son enfance**

On reconnaît dans ces lignes d'Hervé Bazin la révolte qui naît de la volonté de scandale de l'enfant jeté au monde sans justification, sans signification. Dans sa violence verbale, cette page s'apparente au courant contemporain de la révolte de l'absurde.

Je fais le point. (...) Tu es né Rezeau, mais, par chance, on ne t'a pas appris l'amour de ce que tu es. Tu as trouvé à ton foyer la contre-mère dont les deux seins sont acides. La présure de la tendresse qui fait cailler le lait dans l'estomac des enfants du bonheur, tu ne la connais pas. Toute la vie, tu vomiras cette enfance, tu la vomiras à la face de Dieu qui a osé tenter sur toi cette expérience [2]. Que ce soit la haine ou que ce soit l'amour, diras-tu? Non! Que ce soit la haine! La haine est un levier plus puissant que l'amour. Certes, tu pourras l'oublier. Certes, tu voudras essayer de toutes les douceurs, de toutes ces choses fades et sucrées que resucent, entre langue et luette, les petites cousines sentimentales. Tu te gaveras des berlingots de l'amour. Et tu les recracheras. Tu les recracheras avec le reste!

Je fais le point. Je ne suis pas modeste. C'est toujours cela que les Rezeau conserveront en moi. Je suis une force de la nature. Je suis le choix de la révolte. Je suis celui qui vit de tout ce qui les empêche de vivre. Je suis la négation de leurs oui plaintifs distribués à toutes les idées reçues, je suis leur contra-

---

1. Cette explication revient à ceci : pour se développer, l'homme, ou l'enfant, a besoin d'interdits et de tabous. Mais ces interdits, il doit d'abord les accepter et les reconnaître, puisqu'il doit nécessairement les combattre. La volonté de changer le monde implique la reconnaissance et la connaissance du monde tel qu'il est.
2. Comme Sartre, comme Ionesco, le personnage de Bazin s'en prend à Dieu, « le père » de son existence, et de l'absurdité de cette existence.

Aix-en-Provence : mai 1970.

diction, le saboteur de leur patiente renommée, un chasseur de chouettes, un charmeur de serpents, un futur abonné de « l'Humanité ».

(...) Je suis votre scandale [1], la vengeance du siècle jeté dans votre intimité.

Hervé BAZIN, Vipère au poing, éd. Grasset.

● Contre les idéologies totalitaires.
Sur l'absurdité de la condition humaine

> Prince de l'absurde, Ionesco, émigré roumain, a d'abord été un révolté contre un ordre idéologique et social qu'il condamnait. Il a maintes fois affirmé que la résistance contre l'impérialisme d'une idéologie devait aller jusqu'à la révolte. Mais Ionesco homme de théâtre se révolte contre bien d'autres choses, et d'abord contre le fait qu'il est mortel, ce qui lui paraît le comble de l'absurdité.

Je n'aime pas les clichés « progressistes » comme je détestais les clichés fascistes et j'ai l'impression que les progressistes d'aujourd'hui sont un peu les fascistes d'hier. C'est un peu vrai, ce sont les fils des anciens fascistes qui sont progressistes maintenant. En France, c'est dans la bourgeoisie des « intellectuels » que se recrutent les révoltés sociaux... en retard d'une révolte. Etre à la page, c'est déjà le retard : il faut tourner vite la page, il faut être à la page d'après.

A Bucarest, la déchirure était là. Je me sentais de plus en plus seul. Nous étions un certain nombre de gens à ne pas vouloir accepter les slogans, les idéologies qui nous assaillaient [2]. Il était très difficile de résister, non pas sur le plan de l'action politique (ce qui aurait été très difficile évidemment), mais aussi sur le simple plan d'une résistance morale et intellectuelle, même silencieuse, parce que, lorsque vous avez vingt ans, que vous avez des professeurs qui vous font des théories et des exposés scientifiques ou

---

1. La volonté d'« être un scandale » est, disait Georges Bataille, la condition même du progrès de l'homme.
2. Il s'agit évidemment de l'idéologie fasciste.

pseudo-scientifiques, que vous avez les journaux, que vous avez toute une ambiance, des doctrines, tout un mouvement contre vous, il est vraiment très dur de résister, c'est-à-dire de ne pas se laisser convaincre.

in Claude Bonnefoy, *Entretiens avec Eugène Ionesco*,
éd. Pierre Belfond.

Je n'arrive pas à comprendre comment il se fait que depuis des siècles, des siècles, des siècles les hommes acceptent de vivre ou de mourir dans ces conditions intolérables [1]. Accepter d'exister avec la hantise de la mort, dans la guerre, dans la douleur sans réagir véritablement, hautement, définitivement. Comment l'humanité a-t-elle pu accepter d'être là, jetée là, sans aucune explication. Nous sommes pris dans une sorte de piège collectif et nous ne nous révoltons même pas sérieusement. Toutes les philosophies, toutes les sciences n'ont pas pu nous donner les clefs du mystère. Nous sommes menés, nous sommes conditionnés, nous sommes traînés en laisse comme des chiens. Depuis des dizaines de milliers d'années, l'humanité est mystifiée.

Je suis là, moi, homme il faut que j'accepte l'inacceptable : je ne veux pas faire la guerre, je la fais; je veux savoir, je ne sais rien. Si je finis par aimer cette existence dans laquelle je suis plongé, je souffre parce qu'on me la retire. J'ai des forces, elles s'épuisent, je vieillis et je ne veux pas vieillir, je meurs et je ne veux pas mourir. C'est cela l'invraisemblable : aimer une existence que l'on m'a imposée, qui m'est reprise au moment où je l'ai acceptée [2] [...].
[...].

Quelle farce, quel piège, quel attrape-nigaud. Nous sommes nés trompés. Car s'il ne faut pas connaître, s'il n'y a pas à connaître, pourquoi alors ce désir de connaître?

Eugène IONESCO, *Journal en miettes*, éd. Mercure de
France.

---

1. Insupportables : pourquoi naître, pourquoi mourir? L'existence est insupportable parce qu'elle n'a pas, au sens propre, de signification.
2. Acceptée, à la longue, et pas de bon cœur.

● Contradictions de certains révoltés

> Professeur de sociologie, écrivain, essayiste, journaliste, Raymond Aron a écrit dans les années 50 une sorte de pamphlet contre les Intellectuels de gauche, qui s'efforce de démystifier leur esprit de révolte. Il montre d'une part l'importance de la philosophie de l'absurde dans la « révolte métaphysique » et d'autre part la coïncidence entre cette forme de révolte et les « révoltes historiques » éclatant dans le monde sous-développé.

La critique de la moralité conventionnelle a servi de trait d'union entre l'avant-garde politique et l'avant-garde littéraire, l'athéisme semble lier la *MÉTAPHYSIQUE DE LA RÉVOLTE A LA POLITIQUE DE LA RÉVOLUTION.* (...) Entre l'avant-garde littéraire et l'avant-garde politique, joue la complicité de la haine éprouvée contre l'ordre ou le désordre établi. La Révolution bénéficie du *PRESTIGE DE LA RÉVOLTE.*

Le mot révolte, comme le mot nihilisme, est à la mode. On l'emploie si volontiers que l'on finit par ne plus savoir ce qu'il signifie exactement. On se demande si la plupart des écrivains ne souscriraient pas à la formule d'André Malraux : « C'est dans l'accusation de la vie que se trouve la dignité fondamentale de la pensée, et toute pensée qui justifie réellement l'univers s'avilit dès qu'elle est autre chose qu'un espoir. » Au XXᵉ siècle, il est certainement plus facile de condamner le monde que de le justifier.

Métaphysique, la révolte nie l'existence de Dieu, les fondements que la religion ou le spiritualisme donnaient traditionnellement aux valeurs ou à la morale. Elle dénonce l'absurdité du monde et de la vie [1]. Historique, la révolte met en accusation la société en tant que telle ou la société présente. L'une mène souvent à l'autre, ni l'une ni l'autre ne mènent inévitablement à la Révolution ou aux valeurs que prétend incarner la cause révolutionnaire.

---

1. C'est à la fois la révolte surréaliste et la révolte existentialiste.

Celui qui dénonce le sort que réserve aux hommes un univers dénué de signification rejoint parfois les révolutionnaires [1], parce que l'indignation ou la haine l'emporte sur toute autre considération, parce que la destruction apaise seule, à la limite, la conscience désespérée. Mais tout aussi logiquement, il dissipera les illusions répandues par les optimistes qui, incorrigibles, s'obstinent à combattre les symptômes sociaux du malheur humain, pour ne pas mesurer l'abîme. Tel révolté voit dans l'action pour elle-même l'aboutissement d'une destinée sans but, tel autre n'y voit qu'un divertissement indigne, tentative de l'homme pour se dissimuler à lui-même la vanité de sa condition. Le parti de la Révolution, aujourd'hui triomphant, accable de son mépris la postérité de Kierkegaard, de Nietzsche ou de Kafka, témoins d'une bourgeoisie qui ne se console pas de la mort de Dieu, parce qu'elle prend conscience de sa propre mort. Le révolutionnaire, non le révolté, possède la transcendance et la signification : l'avenir historique.

Les révoltés, il est vrai, se dressent contre l'ordre établi. Ils ne voient que conventions ou hypocrisie dans la plupart des interdits ou des impératifs sociaux. Mais certains n'en affirment pas moins les valeurs couramment admises par le milieu, alors que d'autres se révoltent contre leur époque, mais non contre Dieu ou le Destin. Les nihilistes russes, au milieu du siècle dernier, au nom du matérialisme et de l'égoïsme, rejoignaient, en fait, le mouvement bourgeois et socialiste. Nietzsche et Bernanos, celui-ci croyant et celui-là proclamant la mort de Dieu, apparaissent également non-conformistes. Tous deux, l'un au nom d'un avenir pressenti, l'autre en invoquant une image idéalisée de l'Ancien Régime, disent non à la démocratie, au socialisme, au régime des masses. Hostiles ou indifférents à l'élévation du niveau de vie, à la généralisation de la petite bourgeoisie, au progrès de la technique, ils ont horreur de la vulgarité, de la bassesse, que répandent les pratiques électorales et parlementaires.

---

1. C'est le cas de Jean-Paul Sartre.

Depuis la défaite des fascismes, la plupart des intellectuels de la Révolte et tous ceux de la Révolution témoignent d'un conformisme irréprochable [1]. Ils ne rompent pas avec les valeurs des sociétés qu'ils condamnent (...)

Révoltés ou nihilistes reprochent au monde moderne les uns d'être ce qu'il veut être, les autres de n'être pas fidèle à lui-même.

> R. ARON, *L'Opium des intellectuels*, Idées,
> éd. Gallimard.

---

1. Aron assimile révolte et révolution. Dans les années 50, il n'existe pas en France d'autres forces de contestation que celle du parti communiste.

QUELQUES THÈMES DE RÉFLEXION

1° Les révoltes du XVIe siècle ont-elles inspiré la littérature? Dans quelle mesure la révolte idéologique, celle qui suit une idée, est-elle aussi un phénomène de la Renaissance?

2° Les moralistes du XVIIe siècle n'étaient pas des révoltés. Cependant on peut trouver dans leur œuvre des éléments de révolte individuelle. Dans quel sens?

3° Les Philosophes du XVIIIe siècle ont fait de la révolte un nouveau genre littéraire. Dans quelles directions?

4° Dans la littérature de la première révolution française, analysez les différents types de révolte. Quelle influence ces types ont-ils eu sur le siècle suivant?

5° La révolte de Saint-Simon contre le vieux monde est-elle encore significative dans la société d'aujourd'hui? Dans quelle mesure cette société doit-elle idéologiquement sa fondation à la « révolte » de Saint-Simon?

6° La révolte individuelle des romantiques : motivations, origines, prolongements. Notre siècle littéraire est-il encore romantique?

7° Dégagez les traits communs, dans la révolte, des écrivains socialistes du XIXe siècle en France.

8° Qu'est-ce qu'un « poète maudit »? Pourquoi la société française du XIXe siècle rejette-t-elle la création artistique dans sa partie la plus originale? Pourquoi les créateurs ne se sentent-ils pas à leur place dans cette société?

9° Jules Vallès « révolté » est-il un personnage du XIXe ou du XXe siècle?

10° Révolte et surréalisme : fondements et limites.

11° Le témoignage de la littérature contemporaine sur la société industrielle est généralement à charge : analysez les motivations sur des exemples précis.

12° La révolte devant l'absurde : est-elle sociale ou métaphysique?

BIBLIOGRAPHIE SOMMAIRE

J. Bruhat : *Histoire du mouvement ouvrier français*, Éditions Sociales, Paris, 1952.

J. Bruhat, J. Dautry, E. Tersen : *La Commune de 1871*, Éditions Sociales, Paris, 1960.

A. Coutin : *Huit Siècles de violence au Quartier Latin*, éd. Stock, Paris, 1969.

G. Duveau : *1848*, Idées, éd. Gallimard, Paris, 1965.

F. Fejto : *1848, Printemps des peuples*, Paris, 1948, 2 vol.

F. Gaiffe : *L'Envers du Grand Siècle*, Paris, 1924.

P. Goubert : *20 Millions de Français*, éd. Fayard, Paris, 1964.

H. Grimal : *La Décolonisation*, « Collection U », éd. Armand Colin, Paris, 1967, 2e édition.

J. Maitron : *Ravachol des anarchistes*, éd. Julliard, Paris, 1969.

R. Manevy : *Sous les plis du drapeau noir*, Paris, 1949.

E. Morin, C. Lefort, J. M. Coudray : *Mai 1968 : la brèche. Premières réflexions sur les événements*, éd. Fayard, Paris, 1968.

D. Mornet : *Les Origines intellectuelles de la révolution française*, éd. Armand Colin, Paris, 1933.

R. Mousnier : *Fureurs paysannes. Les paysans dans les révoltes du XVIIe siècle (France, Russie, Chine)*, éd. Calmann-Lévy, Paris, 1967.

M. Nadeau : *Histoire du Surréalisme*, éd. du Seuil, Paris, 1964.

A. Piettre : *La Culture en question. Sens et non-sens d'une révolte*, éd. Desclée de Brouwer, Paris, 1969.

J. P. Sartre : *Baudelaire*, éd. Gallimard, Paris, 1947.

INDEX

BERGER-LEVRAULT, NANCY

779770-5-74   Dépôt légal : 2e trimestre 1974

D /1974/0190/121